POSSESSIONS

DU MÊME AUTEUR

Aux éditions Fayard

Étrangers à nous-mêmes, 1988 (Folio « Essais » n° 156).
Les Samouraïs, roman, 1990 (Folio n° 2351).
Le Vieil Homme et les loups, roman, 1991 (Livre de Poche, à paraître).
Les Nouvelles Maladies de l'âme, 1993 (Livre de Poche, à paraître).
Sens et non-sens de la révolte, 1996, *Pouvoirs et limites de la psychanalyse* I.

Aux éditions Gallimard, NRF

Soleil noir, dépression et mélancolie, 1987 (Folio « Essais » n° 123, 1989).
Le temps sensible. Proust et l'expérience littéraire, 1994.

Aux éditions Denoël, collection « L'Infini »

Histoires d'amour, (Folio « Essais »/Gallimard n° 24, 1985).

Aux éditions du Seuil, collection « Tel Quel »

Semeiotikè, *Recherches pour une sémanalyse*, 1969 (« Points » n° 96, 1978).
La révolution du langage poétique. L'avant-garde à la fin du XIXe siècle, Lautréamont et Mallarmé, 1974 (« Points » n° 174, 1985).
La traversée des signes (ouvrage collectif), 1975.
Polylogue, 1977.
Folle vérité (ouvrage collectif), 1979.
Pouvoirs de l'horreur. Essai sur l'abjection, 1980 (« Points » n° 152, 1983).
Le langage, cet inconnu. Une initiation à la linguistique, 1969 (« Points » n° 125, 1981).

Chez d'autres éditeurs

Le Texte du roman. Approche sémiologique d'une structure discursive transformationnelle, La Haye, Mouton, 1970.
Des Chinoises, éditions Des femmes, 1974.
Au commencement était l'amour. Psychanalyse et foi, Hachette, « Textes du XXe siècle », 1985.

Julia Kristeva

Possessions

roman

Fayard

« Cela ne vous va pas du tout de baisser les yeux ; ce n'est pas naturel, c'est ridicule, c'est maniéré. Eh bien, pour compenser cette grossièreté, je vous dirai sérieusement, avec impudence : oui, je crois au diable. Je crois canoniquement ; je crois au diable personnel, et non allégorique, et je n'ai nul besoin de vous questionner ; voilà, c'est tout. Vous devez être extraordinairement heureux. »

Dostoïevski, *Les Démons*.

I

Une décollation

1.

Gloria gisait dans une flaque de sang, décapitée. La robe du soir en satin ivoire de Gloria, les bras ronds, les longues mains manucurées de Gloria, la montre Cartier, le diamant à l'annulaire gauche, les jambes bronzées, les escarpins assortis à la robe : aucun doute, c'était bien Gloria, rien n'y manquait, sauf la tête. « Mon organe sexuel », plaisantait-elle par allusion au plaisir cérébral que lui procuraient ses activités de traductrice et au déplaisir non moins violent que lui causaient ses migraines. « Mon outil de travail », corrigeait-elle parfois. Et voilà qu'elle en était séparée, de son organe ou de son outil, ce qui la rendait presque anonyme. Presque. Car, tête ou pas, tout le monde pouvait reconnaître Gloria Harrison. Certes, la chevelure rousse et les yeux vert-de-mer n'étaient plus là pour le dire, mais les doigts nerveux, le galbe des cuisses de gymnaste, les fines chevilles et surtout les seins arrogants qu'elle savait pointer si ostensiblement, même s'ils avaient commencé à fléchir au cours de ces dernières années, étaient là pour affirmer que c'était bien elle. Des seins indiscutables, donc, qui, pour l'heure, étaient, comme toujours, parfaitement pris dans le bustier de la robe du soir dont le satin ivoire s'ornait, à gauche, d'une envahissante tache écarlate. Blessure au couteau, apparemment.

Rien de plus lourd qu'un corps mort. Et la pesanteur du cadavre s'accroît davantage encore si la tête vient à manquer. Un visage – qu'il soit placide, livide ou déformé par la mort – donne du sens au corps et par conséquent l'allège. Les yeux, fussent-ils éteints, écarquillés ou exophtalmiques, la bouche, fût-elle tordue, sanglante ou tuméfiée, les cheveux, fussent-ils arrachés, plaqués sur le crâne ou en désordre, tous sont les nécessaires vecteurs d'une expression qu'on soupçonne être celle de la mort. Mais, sans yeux ni bouche, sans tête ni cheveux, un cadavre n'est plus qu'une pièce de boucherie. L'attraction terrestre le plaque irrémédiablement au sol, ses formes naguère érotiques retournent à l'empirisme le plus cru, à l'inutilité la plus absurde : il manque l'instrument *ad hoc* pour crier cette détresse acéphale. Amputé de la funeste exubérance que peint le masque des trépassés, le mort est deux fois mort. Non que la victime soit privée de son humanité ou même de sa personnalité, qui persistent au contraire, minutieusement sculptées dans le torse décapité, dans les membres déjetés, dans l'abandon de la posture ; mais la folie, qui est le sceau de l'humain et que trahit le visage, demeure – si cet indice capital fait défaut – littéralement invisible. Le cadavre étêté expose alors une substance qui se serait débarrassée de son délire consubstantiel. Ou plutôt qui l'aurait résorbé dans un paysage anatomique et viscéral auparavant recouvert de cette continuation des traits qu'est le vêtement. Cependant, ou à l'opposé, le cou tranché et le trou sanglant qui s'y creusait attestaient qu'un acte proprement – ou salement – humain avait bien eu lieu, inspiré pour de bon par la folie à un autre humain en tous points semblable à celui dont la chair neutralisée gisait devant moi, cruellement dépourvue des signes de sa folie et donnant par conséquent cette idée si frustrante de la condition humaine. Bref, il ne restait de Gloria qu'un calme bloc échoué sur terre après qu'un obscur désastre lui eut ravi son air affolé, à l'instant même où un spécimen de l'espèce en question se livrait à un acte dément, autrement plus humain, car anonyme et en ce sens universel. Vous l'avez compris, j'étais perdue.

– Évidemment, personne n'a vu la tête !

Le bougonnement de Northrop Rilsky, qui n'ouvrait la bouche que pour assener des truismes, n'obtint pas l'effet escompté : rencontrer mon regard.

Une décollation : tel est le mot qui convient, gourmand mais privatif. J'en connais de naturelles. Dionée et Aphrodite, aimées de Phidias, ont bien perdu leurs têtes, mais c'est en quittant le fronton du Parthénon pour aller s'exhiber dans une salle caverneuse du British Museum. Je les préfère à la Victoire de Samothrace, autre décapitée qui ne s'envolera jamais du Louvre. Comment serait-ce possible, sans tête ? D'autant que cette beauté ailée mérite bien son lieu d'atterrissage, de même que son châtiment, imbue qu'elle est de son enthousiaste personne, ce qui n'était nullement le cas de Gloria. Ces maîtresses d'antan, aujourd'hui dépourvues de cap, me font rêver sans m'émouvoir. Leur mutilation par l'Histoire manque de sang. La violence préméditée est le privilège des humains. Voués au temps – du moins le croient-ils –, ils s'emploient à l'annuler, notamment par la haine qui, elle, ne relève pas du temps, mais bien de l'excitation. Ou de l'écœurement qui en est le versant honteux. Dégoût et passion suspendent le cours des heures propices : il faut être hors-temps pour machiner une hors-vie.

– Quelle saloperie, Commissaire ! De toute ma carrière, j'ai jamais vu un putain de boulot aussi nickel.

Le chef de la police et son adjoint étaient garés devant la grille dans une voiture banalisée noire au plafonnier allumé. Le jardin était plein de flics, mais nul n'avait encore prévenu les journalistes, mes confrères. Je déteste leur horde bardée de calepins et de magnétophones, jamais mieux appâtée que par les plaies et l'hémoglobine, et j'essayais de me fondre parmi le corps médical ou judiciaire, histoire d'éviter qu'on me prenne pour un de mes lubriques collègues. Bientôt les projecteurs aveuglants de la télé se mêleraient aux éclairs rouge et bleu des gyrophares, et notre chère Gloria serait promue au rang de star médiatique. Servie en guise de dessert au journal télévisé. Quelques secondes. Peut-être une minute ou deux. Décapitation oblige. Œuvre d'un *serial killer* ? Crime passionnel ? J'étais là pour essayer de trouver la réponse à ce meurtre aberrant qui, visiblement, dépassait les compétences du brave Northrop Rilsky.

L'affairement qui succède au crime induit la rêverie chez les natures délicates dans mon genre... La nuque ensanglantée sous sa tunique en poil de chameau, chargé de l'agneau crucifère, d'une croix de roseau, parfois même de sa propre tête coupée (quand celle de Gloria, ici même, je le rappelle, était manquante), hasardé sur le rivage de la mer Morte, depuis deux millénaires s'avance vers nous saint Jean-Baptiste, le Précurseur, annonciateur du Messie. Arrêté par Hérode, il succomba en réalité aux vices d'Hérodiade, laquelle, après la danse lascive de Salomé, sa fille, voulut qu'on ôtât la tête du prophète afin de la faire servir à sa progéniture sur un plateau d'argent. Pour le plus grand plaisir de Mallarmé qui, bien des siècles plus tard, et avant de mourir lui-même d'un spasme de la glotte, hallucina l'événement dans ses propres vertèbres, tranchant d'un coup ses « anciens désaccords avec le corps », comme il l'écrivit, elliptique et prémonitoire. Sans parler de l'extase qu'éprouva à Venise le maître en mosaïque du baptistère de Saint-Marc, expert en ces pâleurs dorées qui conviennent si bien aux visages byzantins et aux têtes déposées. Le Vénitien se prend au jeu de la magie évangélique jusqu'à nous présenter le Baptiste, le cou coupé, installant de ses propres mains sa propre tête dans un vase posé par terre ; tandis que, plus loin dans la bande dessinée, toujours sur fond de mosaïque dorée, Salomé saisit ledit vase, le place en équilibre sur son propre chef et se lance dans cette danse unique, tête à tête, que n'égalera jamais aucune danse corps à corps dans les siècles des siècles.

À ce souvenir de la Sérénissime, je me sens parcourue par le frisson de Tiepolo à Bergame, s'obstinant à planter son décor de faux effroi devant une huile écarlate versée à plein tube par cette cruche renversée qu'est le col béant du Baptiste. Et le Caravage ! Et Léonard ! Et Raphaël !

Les yeux des peintres – qu'on les voie en soie de nuit noire, verts de poussière glacée, marron féroce et embué, ou bleus franchement peureux – sont toujours recouverts d'une peau sensible, saturée de points vibrants, qui manque à la plupart des autres humains. À la surface humide de ces antennes paraboliques se croisent les émanations des objets et des êtres extérieurs, ainsi que les pulsations sonores, tactiles, olfactives et toutes sortes de cataclysmes biologiques provenant du corps creux lui-même. L'œil transmue ces stimulations infimes et chaotiques en broutilles visuelles. Œil bouche, œil peau, œil oreille, œil pénis, œil vagin, œil anus, œil gorge et ainsi de suite : l'œil du peintre recouvre pour commencer les cinq sens, et le reste innombrable du corps pour finir, d'une pellicule qui rend visible surtout ce qui ne se voit pas. La blessure morale, par exemple, le poignard au cœur, les souffles et les ailes coupées deviennent, dans la membrane lumineuse de l'œil d'artiste, à peine plissé ou insolemment fixe, un ouragan de peinture rouge, une face concassée, un membre illogiquement étiré ou, mieux, tranché. À force de transformer le sensible en spectacle, l'œil du peintre non seulement ne peut s'empêcher d'aller, mais va tout droit au fond invisible du spectacle qu'est le crime, le meurtre d'homme ou de femme. C'est donc par excès de raffinement que les plus grands ont des goûts d'anatomistes ou de bouchers. Les yeux vert-de-mer de Gloria, étirés par la myopie et tachetés de noir, brillaient de cette tension spéciale que prennent les yeux des peintres ou des grands lecteurs, et je pouvais facilement imaginer, ici et maintenant, devant son cadavre, qu'elle ait pu se voir elle-même comme l'un d'eux l'aurait vue à force de la sentir : insolent volume décapité, notamment par le Caravage.

Ah, coléreux Caravage qui se plaît à éclairer *a giorno* ses visages de carton-pâte ! C'est peu dire qu'il aime les têtes coupées – il les adore, les encense ; il mérite à coup sûr la palme du Grévin grimaçant pour ses décollations en cire et en série. Je les revois d'ici : sa Judith héroïque et dégoûtée devant un Holopherne bouche bée par où s'épanche un écheveau de laine rouge amidonnée ; son Isaac à l'innocence de Barbe-Bleue qui hurle sous la poigne d'un Abraham sourd et aveugle au doigt de l'Ange pointé en vain sur le bélier providentiel. Et si le chef mélancolique de son Baptiste, qui commence à se gâter sur un plateau, laisse Salomé indifférente, il ne manque pas de mettre en transe la rude esclave cramponnée aux saints cheveux. Le peintre vagabond n'hésite pas à confier aux mains d'un David consterné le cap branlant du sinistre Goliath qui arbore ses propres traits, faciès de criminel loué pour la circonstance au magasin des accessoires de la *Commedia dell'arte.*

Seule la décapitation de saint Jean à Malte échappe à cette bouffonnerie cireuse. Je respire, le massacre n'occupe que la moitié gauche du vaste tableau, tandis que la droite, ombragée, emprisonne les voyeurs – vous et moi – pétrifiés derrière les barreaux de leur curiosité. Et, pendant que le bourreau exhibe dans une torsion son thorax viril, et que le sang du Baptiste au corps flasque se transfuse au peintre lui-même qui s'est plu à inscrire son nom dans le flot rouge – mais qui décapitez-vous donc, monsieur le Caravage ? –, une vieille paysanne se bouche les tympans. Une décollation, ce n'est pas pour la vue, voyons, c'est pour l'ouïe ! D'ailleurs, toute peinture devrait être entendue. Mais comment ?

La décollation signe le terminus du visible. C'est la fin du spectacle, m'sieurs dames, circulez ! Y a plus rien à voir ! Ouvrez plutôt vos oreilles, si vous ne les avez point trop sensibles. Au fin fond de l'horreur, ça ne se voit pas ; ça s'entend, peut-être. Remisons les palettes, et à bon entendeur salut !

En somme, rien ne vaut une bonne décollation pour révéler le mauvais goût de l'artiste remâchant son impuissance, à moins que ce ne soit celle de l'art. Naturellement, j'excepte Rodin. Rodin, lui, tient le coup avec son *Homme qui marche*, les deux mains collées au sexe, souverain ayant perdu la tête, contrairement au *Penseur*. J'excepte aussi Degas, sculpteur amoureux du buste de ses danseuses qui ont laissé s'envoler, après le ballet, leurs cimes inutiles. Car, c'est bien connu, nul homme n'a besoin d'une tête pour marcher, non plus que nulle ballerine pour balleriner.

D'accord. Quelles que soient les analogies entre le carnage de la luxueuse demeure de Santa Barbara et les illustres références qui se bousculent dans mon esprit pour me mettre un tant soit peu à l'abri de l'horreur déployée sous mes yeux, j'essaie, quant à moi, de garder la tête froide. La situation l'impose plus que jamais. Je m'accroche donc aux différences.

Jean-Baptiste fut un saint, et un homme, et il annonça notre ère avant Jésus, puisqu'il le baptisa dans l'eau pure du Jourdain. Autant de raisons pour comprendre, sans nullement la justifier, la jouissance d'Hérodiade, et des autres. Mais Gloria ? Une femme. « Pauvre femme » non, puisqu'il y a eu sa fortune, ou plutôt celle de sa famille. Mais simple femme tout de même, traductrice à Santa Barbara. Il faut le faire, car pourquoi traduire quand personne n'écrit plus aujourd'hui (sinon les ordinateurs) ni ne lit (sauf les femmes seules à la plage, ce qui ne fait pas vraiment un gros public) ? Autant de circonstances aggravantes, certes, mais insuffisantes pour motiver un Hérode, une Hérodiade ou une Salomé modernes à perpétrer l'acte subtil doublé du plaisir grossier de la décapitation. Plaisir brut, fruste, sans l'espérance du moindre au-delà. Je ne vois nulle promesse qui aurait pu être punie et moins encore annoncée par un meurtre aussi abject, si ce n'est celle – arrachée après coup – d'un sacré casse-tête pour ce cher commissaire !

J'admets que mes réminiscences picturales puissent paraître, aux yeux de maints lecteurs, livresques, superflues, voire obscènes en l'occurrence. Mais quelle autre utilité reconnaître à l'art que celle qui nous permet de regarder la mort en face ? Si je conserve le souvenir de mes fréquentations des peintres et des sculpteurs dans les musées, c'est bien pour m'y ressourcer en cas d'épreuves macabres. Lesquelles ne manquent pas, à Santa Barbara. Plus qu'ailleurs j'ai besoin de l'art, ici, pour entrer en matière et ne perdre ni la tête ni le sens commun.

Une seule chose est sûre, pour le moment : c'est bien elle, Gloria Harrison, et d'ailleurs personne n'a émis le moindre doute sur l'identité du cadavre, avec ou sans tête. Pauvre Gloria que la vie a si bien humiliée et qui n'était fière que de sa tête – d'après ce qu'elle en disait, bien sûr, avec ironie et quelque raison. L'humour noir du destin a voulu qu'à l'heure fatale elle fût dépossédée de son ultime fétiche et qu'elle nous quittât, privée de toute consolation.

– Pas de tête, évidemment !

Rilsky s'obstinait avec son « évidemment » superflu, toujours sans accrocher mon regard.

Car, tout occupé à se reprendre devant le carnage, mon esprit avait quitté la scène et ne cessait d'égrener d'autres images qui avaient hanté mon imagination d'enfant. Plus proche, et sans l'aide de Dieu, cette fois, mais dressé par de simples hommes, le buste sanglant de Gloria appelait ironiquement la guillotine, laquelle visait à la tête, mais à tours de bras. Terreur, Vertu et Terreur, Concorde ! « Je boirai le calice jusqu'à la lie », « Faites votre devoir », « Encore un instant, monsieur le Bourreau ! » Têtes d'hommes et de femmes, nobles et moins nobles, souffletées par le couperet et envoyées rouler dans la sciure : Madame Roland, Charlotte Corday, et j'en passe. Vous préférez ne pas y penser ? Moi, j'y pense. Le guillotineur est forcément un mâle efficace, d'ailleurs le professeur d'anatomie zélé qui mit au point la funeste lame protesta jusqu'à la mort de sa bonne foi : il voulait, en toute simplicité, abréger la souffrance des condamnés, paraît-il, mais l'explication est si raisonnable qu'il faut se forcer pour y croire, et je trouve quant à moi particulièrement cocasse cet augure des temps modernes. Pis, je ne comprends pas les femmes, amoureuses transies de leurs amants sacrifiés, qui, d'après Stendhal, s'appliquaient pieusement à recueillir les têtes veuves de corps : une femme dérobant celle du vieux de La Mole ; une autre, Mathilde de la Mole justement, baisant le chef tranché de Julien Sorel... Il paraît qu'un « psy » vient de faire sensation, dans un colloque, en certifiant qu'un rêve féminin sur dix tourne autour d'une tête coupée ; et de raconter qu'une de ses patientes ne songe qu'à transporter l'objet tronqué comme un bébé dans un champ de ruines. Nature extrême du désir, soit ! Mais je n'aimerais pas être la tête sur les épaules de cet analyste-là. Éternelles pleureuses de dépouilles castrées, les femmes ne se passionneraient-elles que pour un phallus coupable *(sic)* ? Je veux bien, je vois ce que c'est, mais j'avoue que j'en doute : côté coupé ou côté coupant, cette machine et son train me paraissent étrangères à la sensibilité féminine telle que je la conçois. Ma pudeur ou, si vous voulez, mon refoulement ne s'y retrouvent pas. Le reste écimé et saignant de Gloria Harrison qui gisait à mes pieds, livré à l'impuissante curiosité du commissaire de Santa Barbara, me scandalisait autant qu'il m'intriguait, et j'avais beau appeler à la rescousse peintres et sculpteurs, la Terreur et 93, ces dérives culturelles ne résolvaient strictement rien.

Haïr le monstre qui avait tué Gloria : bien sûr, quelle autre réponse à l'atroce question posée par cet acte ? Sur la peur qu'il répandait, je devais bâtir toutes les haines que méritaient la mesquinerie, la petitesse, les calomnies, la jalousie, les hypocrisies en tout genre, la trahison des amis, des amants, des maris, des femmes, les coups bas, les coups en douce, les coups de poignard dans le dos ou en plein vol, les dénonciations, les sabotages, les censures, les critiques malveillantes, les ragots, les rabaissements, les rivalités, les humiliations, les passions saccagées, les enfants empêchés, les amours rendues impossibles. Je devais briser enfin cette décence qui matait ma douleur en blanche fierté et faisait de moi ce que j'étais, un chasseur solitaire, une voyageuse, une journaliste.

La haine œuvre en silence ou s'énonce en phrases courtes, essoufflées : argots et trois points. Je la connaissais, l'avais subie, l'éprouvais au point que j'aurais voulu n'être que cette haine-là. Mais je ne l'étais qu'en partie. Une inexplicable indulgence s'y mêlait, desserrait l'étau, tirait ma détestation vers la grimace, un certain rire. Comme ces auteurs de romans policiers qui vous mettent le nez dans l'horreur à condition de prendre un ton bourru, naïf, demeuré même, pour s'excuser d'être bien plus lucides que les personnages représentant l'ordre et le savoir avec leurs piètres astuces, et pour piéger, peut-être, l'intelligence supposée du lecteur sophistiqué qui condescend à se distraire avec cette littérature réputée débile – je ne donnais libre cours à ma haine qu'avec l'excuse de la dérision dont on croit devoir assortir les faits divers, les malfrats, la haine elle-même et ceux qui l'éprouvent, dont je suis. Cette opération ambiguë mais, je l'affirme, inconsciente, avait l'inconvénient de diluer ma perception plastique de l'assassinat de Gloria en un numéro de salon dont j'étais le seul public, tout en possédant l'insigne avantage de me mettre à distance du drame pour y voir plus clair. La haine ne satisfait pas sans aveugler un peu, et seule l'ironie parfois prélude à un je-ne-sais-quoi qui se tient. Pendant ce temps, on prélevait des empreintes, on classait des poils, des boutons et autres débris dans des flacons ou des pochettes en plastique, on prenait des clichés, des vidéos, on s'indignait, on affichait des airs de circonstance, on s'extasiait en professionnel. Sous l'œil comblé et compétent du précieux commissaire Rilsky, pourtant sérieusement embêté. Il ôta ses lunettes avec un rien de malice et beaucoup de solennité.

– Les évidences ne sont pas toujours fausses, elles sont seulement inessentielles, fis-je, impertinente mais circonspecte.

– Évidemment, ponctua Rilsky de sa voix mélodieuse, heureux de m'accrocher enfin, car il était foncièrement humaniste. Pauvre Gloria !

Je connaissais des humanistes à Paris. Ils m'expliquaient qu'on devait lutter contre l'Exclusion et que le but de l'existence, après la chute du Mur, était l'Intégration. Ils ne savaient pas très bien à quoi, mais ce dont ils étaient sûrs, c'est qu'il fallait Intégrer et ne pas Exclure. Ils prononçaient « l'Exclusion » avec un air étonné et repu qui donnait à leur amour des hommes une puissance gauche et cependant menaçante. Rilsky, lui, était plus désabusé. Devant les coups de la mafia qui ne se gênait pas pour opérer au grand jour à Santa Barbara, le commissaire se fichait bien des exclus et des désintégrés. Il ne croyait qu'à la Beauté en musique, à condition qu'on pût la partager. « La musique est faite pour être écoutée ensemble », aimait-il à me répéter, car il tenait la peinture pour un art lent, et recherchait ma complicité pour accompagner ses extases aux concerts entre deux enquêtes sur des crimes crapuleux. Humaniste postmoderne, il estimait, puisque tout se paie, que le sublime Bach valait bien que des salauds versent quelques litres de sang. « Nécessaire contrepoint, car telle est la nature humaine », concluait-il non sans jubilation, entre deux concerts, occupé à débusquer ses assassins. Northrop

Rilsky se considérait à juste titre comme un esthète doublé d'un humaniste lucide et néanmoins persistant.

En le regardant s'agiter, je ne pouvais m'empêcher de méditer, sans tendresse mais non sans un certain apitoiement, sur le gâchis qu'avait été l'existence de Gloria. Et de tant d'autres femmes, n'exagérons rien ! Ou plutôt exagérons, mais ce sera un autre roman. Je la savais haïe, étrangère et presque écrivain, héroïne de quelques succès publics – elle avait excellé dans la traduction de Faulkner en santabarbarois, avant de se consoler comme traductrice attitrée de Philippe Roth. Une vie visible, en somme, de celles qui n'attirent pas une sympathie excessive à Santa Barbara – pas plus qu'ailleurs, soit dit en passant. Les médisances, les perfidies et les potins n'étaient pas pour me surprendre, et je savais qu'elle-même ne s'en étonnait plus depuis longtemps. J'aurais même été jusqu'à admettre, contre l'humanité qu'on prête à tort aux humains, aux femmes et parfois aux journalistes, que le poignard qu'on lui avait planté en pleine poitrine avant de lui trancher la tête ne me paraissait ni extravagant, ni vraiment déplacé. L'acte, commis avec une arme blanche à la lame et à la pointe aiguisées, comme ne manquerait pas de l'établir le médecin légiste, pouvait être en effet la conséquence logique d'un de ces rejets que Gloria suscitait invariablement et qu'en l'occurrence elle avait dû déclencher dans un cerveau survolté. Le flacon de Rohypnol posé à côté de la coupe de champagne induisait qu'elle était droguée au moment du crime. Faux-semblant ? Les analyses ne tarderaient pas à élucider ce détail. Mais quelle sombre passion, déchaînée dans les veines de quel psychopathe, avait pu guider la main qui avait découpé avec une minutie de dentellière la chair du cou, le larynx, les vertèbres, pour laisser béante cette source lisse, ce miroir rouge, ce rubis immonde qui ourlait le cadavre à l'emplacement de la tête manquante ? Là était le mystère, du moins pour moi, Stéphanie Delacour, qui venais de débarquer une fois de plus dans ce maudit pays. Et qui, de surcroît, avais dîné deux jours auparavant chez la même Gloria Harrison, laquelle, le samedi 15 octobre à 0 h 35, lorsque je l'avais embrassée sur le pas de sa porte, avait encore toute sa tête.

Qui ?

Rien de ce que je savais de Gloria ne laissait supposer l'existence du monstrueux orfèvre. Restaient les hypothèses du crime gratuit, du maniaque sexuel, des innombrables formes de jouissance qui fourmillent dans les bouquins de psychiatrie que Northrop Rilsky connaissait comme sa poche, qu'il avait même de nouveau compulsés en secret dans son bureau, je l'aurais parié, avant d'affronter l'ennemi qui avait frappé cette fois-ci. Pourquoi ce charcutage ? cet acharnement inutile ? Car j'en savais assez pour comprendre que Gloria était morte *avant* d'être décapitée. Une flaque de sang plutôt modeste au bout de ce carnage capital, et pas de tête. Qui, entre 0 h 35, par cette nuit bleue qui ruissela après le dîner sur mon visage à peine effleuré par la joue tendue de Gloria (« Je t'appelle. – Merci, c'était délicieux ! »), et ce lundi 17 octobre à 10 h 05 où j'avais eu le plaisir d'être réveillée par la voix de mélomane de l'inspecteur Rilsky m'annonçant qu'une fois de plus, et pour son plaisir, nos chemins se croisaient, et que j'avais en outre la chance de compter parmi les témoins privilégiés ? Car, naturellement, le respect de notre commune admiration pour Yehudi Menuhin empêchait l'inspecteur d'aller plus loin pour l'instant, mais, d'un point de vue strictement légal, les choses se présentaient un peu différemment, les derniers témoins à avoir vu la victime étant *ipso facto* des suspects, si Mlle Delacour voulait bien admettre le caractère insolite de la situation... Entre ces deux moments, donc, une passion, une folie, un artiste délirant s'étaient mis à l'œuvre.

Il m'avait semblé entendre, en arrière plan de la voix du commissaire, le troisième mouvement du *Concerto pour deux violons et orchestre* de J.-S. Bach – les violons se hissant vertigineusement, suivis des autres instruments, l'allegro s'égayant, se répétant, s'accumulant avant que les cordes ne finissent par hachurer le soleil lui-même qui explosait enfin, généreux, en cristal émietté. Quand il n'était pas sur les lieux du crime, Northrop se nourrissait de musique : il me le confirmait.

– Sur place, dans une heure.

Je dus l'interrompre, comme d'habitude, puis je pris une douche et filai en taxi vers la maison que j'avais quittée il y avait moins de trois tours de cadran. Rouée de senteurs salées, iodées, alguées, persécutée par les mouches poudreuses et les abeilles ivres des troènes, j'avais l'impression de subir en plein corps les lourdes intrigues et les passions criminelles de Santa Barbara.

2.

Une semaine ne s'était pas écoulée depuis que l'avion d'Air France m'avait ramenée ici. Pourtant, la même certitude m'avait saisie : je n'avais jamais quitté cette ville. Affinité physique et cependant honteuse avec je ne sais quelle méchanceté. Comme dans un de ces rêves qui précèdent et annoncent un dérangement intestinal, quand ce n'est pas une nouvelle crise de nerfs de mon rédacteur en chef ! À croire que je suis habitée par un autre personnage, trouble et inopérable, que je préfère ignorer mais qui, tout compte fait, me possède, aime ces sales rues, ces passants péniblement lents qui se bousculent pour se donner l'illusion de se hâter, ces gratte-ciel réfléchissant le vide, ces restaurants juchés sur quarante étages de plastique d'où les lueurs des bidonvilles et les réverbères des ponts se transforment en guirlandes de lucioles.

Depuis le temps, Santa Barbara a changé, encore plus moderne, encore plus brutale. Je connais à peine cette métropole, je n'y suis pas née, je n'y ai vécu que quelques petites années, et, bien sûr, on m'y dépêche dès qu'un épisode sordide s'y produit, c'est-à-dire assez souvent. Est-ce le souvenir de mon enfance passée ici du vivant de papa, « en mission au bout du monde », qui me revient et me donne l'impression d'être une autre ? Est-ce une certaine intimité, ignorée de mes amis parisiens et que je préfère moi-même ne pas creuser, avec la pire bassesse, la bassesse illuminée ? J'aime ne pas le savoir.

J'ai commencé par suspendre mes robes sur des cintres dans le spacieux *dressing* du loft trop grand de Bob. Il me l'a cédé par amitié autant que par lassitude. Comme moi, Bob passe son temps à arpenter le monde, la notion de « chez soi » n'a guère de sens pour lui, aussi peut-il prêter son logis sans états d'âme : à moi ou à d'autres. Tout de même, j'apprécie le geste.

J'ai déjà été ici. Pourtant, je sais parfaitement que ce n'est pas vrai : c'est la première fois que j'habite cet appartement bourré de tapis et d'objets divers que barbouille d'orange le coucher de soleil, de l'autre côté de la Rivière ; j'ai horreur du genre de bazar que Bob se croit obligé de rapporter de tous les coins du monde où il met les pieds. Mais je ne peux me défaire de cette impression de déjà-vu. Ai-je habité cette chambre ? cette salle de bains ? Quand ? Dans quelle vie ? Dans la vie de qui ?

Les voyages m'étourdissent. Les voyages me confrontent à l'étourderie que je réussis d'ordinaire si bien à apprivoiser. N'insistons pas. On sonne. Brian, sans doute. En même temps que son logement, Bob m'a prêté son assistant : « Tu verras, très efficace. Tu auras besoin de quelqu'un qui s'y connaît, quelqu'un du pays ! » Ouf, il considère que je n'en suis pas ! Je ne sais pas si je dois dire « merci » ou « hélas » !

Plutôt petit, peau grasse, lunettes fumées, moustaches dissimulant mal une bouche avide. Si Brian n'est pas homosexuel, il se trompe. Je sais, sur ce plan-là, tout le monde se trompe... Il disparaît presque derrière un bouquet qui explose de roses brasier, de pivoines bordeaux, d'œillets tachetés de rubis, de tulipes indigo mariés à des feuillages vert frais, et m'enveloppe de leur parfum capiteux. Cette offrande pourrait être d'un goût sauvage sans les rayons amarante du soleil déclinant qui inondent le salon, bordent les fleurs de vagues rousses et drapent cette fin d'après-midi dans un éblouissement solennel et soyeux comme la cape d'un matador madrilène. « Il ne manque que le taureau ! », réussis-je à penser pour ne pas succomber au charme de cet hommage écarlate dont mon imagination, aidée par les réverbérations solaires, me souffle d'esquiver l'assaut.

– Brian Wat. (Lui, obséquieux.)

– Un café ? (Moi, sans conviction.)

– Avec plaisir. Je veux dire : c'est un immense plaisir pour moi de faire la connaissance de Stéphanie Delacour. (Lui, récitant sa réplique comme dans un débat télévisé.)

Je vois, je n'ai rien à ajouter, je vais faire le café.

Le teint huileux de mon visiteur a eu le temps de se congestionner par plaques. Brian Wat serait-il excité ? Je propose du sucre. Le bras se tend, raide, et la main à son extrémité balaie le sucrier, la cafetière, la tasse, entraîne la table chinoise que Bob a rapportée de je ne sais où, les pieds ravagent le tapis ancien, bousculent la méridienne Empire où Brian Wat s'était vautré sans gêne, heurtent des vases à fleurs qui filent droit vers les baies vitrées. Brian Wat est tordu de spasmes, s'étouffe, perd conscience, choit sur le parquet, s'arc-boute, tressaute. Puis plus rien, qu'un râle assourdi après le vacarme. Catatonie ou épilepsie ?

Santa Barbara me réserve toujours de ces accueils spectaculaires, mais celui-ci a dépassé de loin mes espérances. *Ils* auront voulu me mettre à l'épreuve. Voyons, *ils* me sous-estiment. Depuis le temps, *ils* devraient savoir à qui *ils* ont affaire. Je veux parler des services secrets qui manipulent en sous-main Bob et Northrop Rilsky, bien sûr. Je décide d'attendre quinze minutes pour appeller une ambulance. Au bout de huit minutes cinquante-trois secondes, Brian Wat articule péniblement quelques sons et tente de se rasseoir. Je le rassure et le traîne, titubant, jusqu'à la chambre de service. Bob l'aurait-il prévue pour cet usage ?

Bienvenue à Brian Wat ! Lui aussi, j'ai l'impression de le connaître. Impossible, naturellement. Mais rien ne m'étonne à Santa Barbara. L'épilepsie pas plus que le reste. J'ai déjà vécu cela, j'en suis sûre. Dans quelle vie ?

La vraie question, dans ce genre de situation comme ailleurs, c'est la solitude. Les « gens », ça n'existe pas ; rien que des solitudes à géométrie variable. Brian sait qu'il lui arrive quelque chose qu'il ne connaît pas, qu'il ne connaîtra jamais, et qui fait peur aux autres. Sa crise est l'expression de notre inquiétante étrangeté, mais, pour lui, elle n'est qu'un ressac qui l'éjecte des autres et, plus profondément, rompt les liens entre lui et lui. D'imaginer la solitude inhumaine d'un soi dépossédé de soi me le rend presque sympathique. Non, je n'en veux pas, ma solitude à moi me suffit. Face à cet homme dissocié, elle m'apparaît étroite, mais impeccable. Aussi naturelle que la neige au sommet des Alpes. C'est comme ça.

Brian refait surface, bredouille qu'il a trop bu, qu'il est désolé, franchement, il espère que je lui pardonnerai, il reste à ma disposition, ce n'était qu'un malaise banal, rien de grave, vraiment, nous nous reverrons samedi chez Gloria Harrison, elle m'appellera pour me préciser l'heure du dîner, c'est ça, à samedi. Je ne crois pas aux présages, mais ça commence bien, personne ne dira le contraire. Santa Barbara me salue par des convulsions, du démoniaque, pas le temps de s'ennuyer, surtout pas, l'ennui est un sentiment trop aristocratique, pas le genre du coin. Ici on s'épie, on colporte tout ce qu'on sait sur son voisin. À qui ? À n'importe qui, aux autres voisins, chacun appartient à tous et tous appartiennent à chacun. « Tous les hommes sont esclaves et égaux dans l'esclavage ; le recours à la calomnie et au meurtre est recommandé ; mais le principal, c'est que tous les hommes soient égaux ; obéissance complète, dépersonnalisation absolue, sauf que, tous les trente ans, ils s'autorisent des convulsions. » J'ai lu cela quelque part... Mais rien n'empêche qu'à titre personnel, pour tromper l'ennui, vous vous autorisiez plus fréquemment une petite attaque. Comme Brian. Vous commencez par ne pas oser vous tuer – ni souffrir, ni désirer. À la fin, tout acte devient impossible. De peur, vous continuez à vivre. Jusqu'à l'explosion, jusqu'à la douleur d'une bonne crise, une douleur réelle, incontestable, capable même de donner de l'intelligence à un imbécile – provisoirement, bien sûr. Unc intelligence féroce et ravageante, sans éclat. Je comprends Brian ; oui, d'une certaine façon, je le prends en moi, je le possède, mais, de fait, il m'est complètement étranger.

Car mon impression, fausse, de déjà-vu, va de pair avec la perception d'une opacité. Visages fermés, fuyants, sourires préfabriqués, inefficacité aussi notoire que têtue. Paresse, hostilité ou incompétence, les Santa Barbarois se ferment. Aucune réciprocité, aucun échange, aucun consentement. *¡No pasarán!* Les flots des foules hagardes sont opaques. Les marchandises, qu'elles soient de luxe ou quelconques, s'entassent pêle-mêle sur les rayons et sont opaques. Nul guide, nul intermédiaire, les vendeuses tapent sur leur ordinateur ou sourient à leur téléphone, opaques. La lumière orangée elle-même, qui fait tout le charme de mon chez-moi, en surplomb de la Rivière, et qui vire maintenant à l'écarlate, de l'autre côté de l'eau, bute contre les vitres encrassées et transforme l'appartement de Bob en un cube de polyester bariolé et impénétrable, opaque. Suis-je à l'intérieur ou sur la crête d'un jeu de construction laser ? Pas de doute, je suis dedans, je suis chez Bob, au sixième étage d'un immeuble avec gardien, ascenseur, serrures de sécurité, signal d'alarme, caméra de surveillance et tout ce qu'on peut rêver de mieux. Ou de pire. Prison brillante que l'extérieur bombarde, cellule irisée qui se replie sur ses reflets, opaque réplique de l'opacité générale. Je me plaque contre les murs, mais ce ne sont pas des murs, rien que des écrans que viennent frapper les rayons du soleil qui m'inondent sans relâche depuis l'autre berge et dont la vigueur sans nuance finit par m'exaspérer. Leur opacité est inconsistante ; leur hostilité, un artifice de lumière. Je suis rejetée par rien. L'insolence du rien.

J'allume la radio, la télévision, le lecteur de cassettes, de C.D. – engins en série que Bob a branchés un peu partout. « Pas de solitude chez moi, chaque recoin est habité. » Il y a même la radio et le téléphone dans la salle d'eau, juste à côté de la cuvette des W.-C. Impossible d'échapper au bain de santabarbarois. Je m'y plonge, m'y immerge, m'en soûle. Je croyais le connaître, je n'en comprends pas un traître mot. À chaque nouveau séjour, c'est pareil : il me faut au moins une semaine pour discerner dans ce brouhaha continu quelques syllabes, des mots qu'il me semble avoir appris mais qui aujourd'hui me fuient.

Pourtant, j'ai parlé cette langue. Du moins je l'ai beaucoup entendue et passivement possédée. Autrefois.

Quand ? Dans le ventre de ma mère ? De loin, quelqu'un l'a déjà utilisée pour moi. Un homme ou une femme, je ne sais, mais cette dureté des liquides, cette somnolence des voyelles traînantes, cette voracité des dentales explosant sous la pression d'une énorme quantité d'air accumulée au fond du tube digestif, ne me sont pas étrangères. Comme l'américain, cette langue gesticule de la gorge au bas-ventre en oubliant l'appareil respiratoire. Les poumons santabarbarois se dépriment, les cordes vocales se tendent, ces gens sont constamment enroués. Tout cela a cessé maintenant de m'être familier, je suis d'ailleurs, j'ai pris la voix de tête et les sonorités aiguës, fermées, joliment maniérées de la langue française. Pourtant, ces orgues de Barbarie dont les accents ricochent sur les arêtes de mon cube laser m'accueillent. Je suis sûre que j'en suis ou en fus. Dans une autre vie. Mais je ne comprends pas.

Rien de plus fatigant que l'incompréhension. À force d'écouter, l'insoutenable abrutissement fait d'abord place à une sorte de sauna mental : je saisis trois mots sur vingt, mais ma rêverie est une détente propice, elle me permet d'espionner les parleurs natifs. Je les croise et les dépasse en état de relaxation, d'osmose musicale, radiographiant les zones érogènes que leur langue, comme les autres, exhibe si on l'écoute comme on prend un sauna, précisément, sans effort, tous pores dilatés. Je suis au bord du sommeil ou du coma. Car si l'incompréhension ne vous achève pas, cette langue perdue que vous croyez avoir sue, mais qui vous a abandonné, retrouve peu à peu sa propriété, qui est d'incarner du sens. Et il arrive qu'un beau matin vous vous réveilliez en elle, avec une autre gorge, d'autres lèvres, un ventre différent, et même un sexe pas tout à fait comme celui qui est le vôtre dans la langue habituelle qui vous possédait tout entière voici seulement quelques jours.

Pour l'heure, je suis en plein passage, en plein travestisme. Le santabarbarois aurait pu n'être qu'un masque pour moi, tant de gens exhibent de fausses barbes, de faux seins, de faux *selfs*. Mais Stéphanie Delacour fait les choses à fond, elle se réincarne en santabarbarois. En glissant à une autre langue, je pratique une forme de transsexualisme. À chacun son sadomasochisme. Je perçois la douleur, sinon je l'invente. Une traumatisée. Tout m'est trauma, choc, bouleversement. À commencer par la langue. Le santabarbarois ou le français ? Langue rouge ou langue blanche ?

Machinalement, j'ai esquivé le grand lit double destiné aux nuits fastes. Le bureau de Bob est encombré d'un divan victorien en acajou, étrangement, majestueusement surélevé. J'ai découvert que c'était un lit gigogne et j'ai sorti le tiroir. Matelas, draps, couette et oreillers. Exactement ce qu'il me fallait. Comme chez moi, à Paris, rue du Cherche-Midi. J'adore les lits gigognes, je ne dors bien que dans les tiroirs. Un lapin dans son terrier, une taupe creusant son gîte au-dessous de la surface où les humains croient pouvoir s'endormir. Splendide négociation entre le sommeil et l'ombilic des rêves, notre vie nocturne ne devrait jamais s'en remettre aux plans exposés. Ma couche gigogne me transporte en deçà de l'innocence, je coule à pic, défonce la paix des justes. Dans la tiédeur moite de ma coquille, je me nourris des odeurs rougeâtres du bois, des senteurs diaprées de mon corps, de la certitude d'être nulle part mais abritée. Je campe, je voyage, le bateau tangue, je suis une migrante. Certains dorment ; moi, je transite. Consciente ou rêveuse, je n'ai pas de place repérable. « Avoir son lit » : propriété ultime ! Pas moi. L'intime nocturne se modèle, sans qu'on y veille, sur notre vie. La mienne est lieu de passage, je suis de passage. Cercueil aussi, ce tiroir escamotable. Ce n'est pas que le sommeil apprivoise la mort, mais il existe des vies dans lesquelles, comme dans tel tableau de Poussin, la mort a déjà eu lieu. Celle de papa et sans doute bien d'autres, avant. Par exemple quand j'ai appris à traverser les langues, mourant à chaque passage de frontière pour renaître différente ailleurs. Mais suffit ! Halte aux sensitives, Stéphanie la pimbêche – une femme savante, c'est bien connu !

En réalité, il me ferait plutôt rire, ce caveau que je dissimule au fond de moi-même, et que je promène, et que je retrouve sous la forme d'un lit gigogne partout dans le monde, emboîtement de poupées russes, immature Stéphanie Delacour qui s'imagine avoir quitté l'utérus ! Mais non, elle a besoin comme tout le monde d'une femme géante pour l'abriter, la rassurer ou définitivement l'avaler. On le tient, le fantasme de l'intrépide fugueuse : c'est la mère gigogne avec des ribambelles d'enfants. Rêve ou cauchemar ? Tout comme. Et si le sofa dérobé était la rudimentaire alcôve où Dame gigote : le refuge de transes rentrées, la cache d'orgies en négatif, un collage de peurs incurvées, d'envies impossibles, de fureurs moites ? Soit !

Je me lève. Repousse le tiroir sous le premier étage visible du divan très *british*, très acajou, impénétrable. Ma nuit est introuvable. Vous croyez qu'elle dort, Stéphanie Delacour ? Jamais de la vie, elle passe, elle circule, elle observe – un reporter, c'est tout. Inutile de chercher à en savoir plus long. Son lit ? Elle le porte en elle, comme son sexe et ses rêves, ni vu ni connu. Clac ! Net. À ce soir, à cette nuit, rendez-vous dans l'invisible.

3.

Le dîner annoncé par Brian eut donc lieu, et je ne ne fus pas mécontente d'y retrouver la sœur de Bob et son petit clan. Gloria accumulait les fêtes avec indifférence et les invités sans conviction, si on peut parler de faire la fête avec indifférence, et pour autant que le mot soit capable de traduire la solennité saupoudrée d'angoisse qui imprégnait ses réceptions.

C'était une demeure mi-victorienne mi-locale, construite par les grands-parents Harrison en souvenir de cette vieille Angleterre qu'ils n'avaient jamais dû quitter et dans laquelle, cependant, aucun esprit un tant soit peu exigeant, c'est-à-dire formé par le puritanisme qui n'existe que de se séparer de soi, indéfiniment et avec rigueur, ne pouvait franchement survivre. À la fin du siècle précédent, faute d'offrir un paradis sauvage pour amateurs de chasse à l'éléphant africain, Santa Barbara offrait au moins une certaine virginité qu'il n'était pas question de conquérir, mais certainement d'éduquer, de développer, d'émanciper. Les choses n'avaient pas beaucoup bougé dans le *home* depuis l'époque de ces premiers migrants civilisateurs, en dépit du flux des générations et des soubresauts politiques qui n'avaient pas épargné non plus cette partie du globe.

La maison Harrison s'élevait en se rétrécissant, telle une pyramide, sur trois étages dont le dernier n'était qu'un grenier aménagé. Épousant les contours de la lettre L, elle occupait l'angle d'une ruelle descendant vers le jardin public qui avait dû être un bois, cent ans plus tôt, et d'une artère aujourd'hui cossue mais discrète qui arborait le nom bien mérité de « rue d'Angleterre ». La bâtisse, en réalité, lui tournait le dos car, bien que l'entrée principale se situât en effet rue d'Angleterre, un imposant vestibule au carrelage domino barricadait littéralement l'intérieur contre toute curiosité importune. Une pelouse étroite festonnait la façade en brique dont seuls les connaisseurs pouvaient apprécier les proportions distinguées. La grille et le portail en fer forgé ainsi qu'un mur de vieilles pierres semblaient destinés à ménager une transition avec le style rustique du pays.

Le véritable confort se protégeait sur l'arrière, inaccessible aux badauds. Là, enfin, s'étendait un vaste jardin en terrasses jalonné de colonnes italiennes qu'enlaçaient des glycines mauves, des coupes en grès baroques se paraient d'imposants orangers, des parterres de roses et de lys embaumaient à longueur d'année, l'ensemble rappelant les voyages européens des ancêtres et s'inclinant imperceptiblement jusqu'au prétentieux gravier de la cour. À l'extrémité, des bosquets de lilas, d'érables et de noisetiers rejoignaient pour s'y perdre les bords de la Rivière – la même dont les reflets pourpres inondaient mon cube laser, bien plus au nord, de l'autre côté – et isolaient la propriété des Harrison du reste du monde.

Malheureusement, le monde n'avait pas cessé de se développer depuis un siècle et on apercevait à travers les arbres, outre d'inévitables pylônes électriques et quelques vieilles maisons d'antan, les hideuses constructions de la Nouvelle Ville. D'après Gloria, il ne restait qu'une chose à faire : planter, épaissir le bois pour préserver ce havre miraculeux des tentacules de la modernité. D'autant qu'une route – qui n'était pas encore une autoroute, mais cela n'allait pas tarder – longeait désormais la Rivière ; on l'empruntait d'ailleurs en voiture pour rejoindre la maison côté jardin. Comme il n'était pas question de boucher la vue par des fortifications, on s'était contenté d'un discret muret et d'un grand portail qu'on ouvrait aux automobiles qui ne se donnaient pas la peine de s'engager dans les ruelles du vieux quartier. Et, pour mieux s'isoler de la route, on avait fait appel aux arbres : acacias, peupliers argentés, mimosas, chênes, troènes et même figuiers, eucalyptus, tilleuls, limoniers et bougainvilliers s'ajoutaient aux vieux lilas, érables et noisetiers et profitaient du climat généreux de Santa Barbara pour mélanger leurs tons de vert et leurs senteurs fruitées entre la Rivière et la cour de gravier. Clôturer ou boiser, tel était le permanent dilemme, et ce n'était pas la moindre préoccupation de la propriétaire des lieux, ajoutée à ses soucis de maîtresse de maison, à ses tracas professionnels et à tout ce que le lecteur sait ou pressent déjà.

La maison elle-même, quoique sans luxe excessif, n'était pas facile à entretenir, avec ses salons, ses bureaux, ses chambres, ses escaliers, décrochements et autres services destinés à l'origine à préserver la « privacité » de chacun des Harrison présents et à venir. Aujourd'hui, cet assemblage se résumait tout bêtement à un labyrinthe à la charge de Gloria.

Le labyrinthe s'enroulait heureusement autour d'un centre : le grand salon et la salle à manger attenante, dans lesquels on entrait par le vestibule au carrelage domino.

En sortant par une porte latérale à gauche du salon, on empruntait ce qu'on appelait le « couloir vert », encombré de plantes en pots et de préciosités plus ou moins démodées ; ce corridor était à l'équerre du vestibule et suivait la ruelle anonyme. Il desservait trois pièces en enfilade : d'abord le bureau de Gloria – tout de suite après le salon dont il était séparé par un mur tendu de soie écrue et surchargé des tableaux de Stan que devaient admirer les convives des rituels dîners –, s'ouvrant par une somptueuse porte-fenêtre sur les glycines de la terrasse ; ensuite la chambre à coucher ; enfin celle, plus petite, qui avait été destinée au bébé peu après sa naissance. Les trois pièces donnaient sur la même terrasse intérieure qui s'inclinait vers le gravier et laissait admirer le bois, la Rivière et le reste.

Le premier étage, aux dimensions plus réduites, était relié au salon par un escalier en colimaçon et abritait la bibliothèque du père de Gloria qui, bien que banquier, mais en tant que polyglotte, s'était toujours sincèrement passionné pour les livres. À droite du temple paternel dont on ne se lassait pas de découvrir et d'admirer les richesses bibliophiliques, la chambre de Bob, conservée « par esprit de famille et d'équité » (Gloria), restait fermée, car le frère de Gloria, toujours en vadrouille, n'y dormait jamais, se désintéressant ostensiblement des biens familiaux. Stan avait aménagé son atelier à gauche de la bibliothèque, sur deux étages, dans une pièce dont le plafond s'élevait pour atteindre le toit du grenier qui coiffait cette partie de la maison ; les hauts vitrages laissaient passer une lumière irisée propice à sa peinture. Le royaume de Jerry – bureau, *bedroom* et salle de bains –, que le jeune garçon n'occupait que rarement, sa mère préférant le surveiller de près dans la chambre de bébé au rez-de-chaussée, occupait l'angle de l'aile gauche.

Au deuxième étage, les combles non inclus dans l'atelier avaient été transformés en studio pour la bonne, fort satisfaite de cette indépendance à laquelle elle accédait par un escalier de service entre la cuisine et la salle à manger, dans l'aile droite. L'annexe en rotonde qui formait l'extrémité de l'aile gauche de la maison, destinée autrefois au gardien, s'appelait maintenant modestement « chambre d'amis », bien qu'elle fût un véritable petit deux-pièces très apprécié par les couples et familles amis de passage.

Mais aucun visiteur ne devait rester dormir, ce soir-là, chez les Harrison. C'était un simple dîner. Odile, une Française au corps long et creux qui s'effeuillait dans une vaporeuse robe rouge toute en volants ajourés et jabots aériens, était une ancienne amie de collège, en « voyage d'affaires » avec son mari Pascal – « Pascal Allart, les parfums Allart ». Gloria me le présenta pour la énième fois sur un ton qui laissait entendre que les maisons comme celles de Pascal n'avaient aucune espèce d'importance mais que cela se disait, et que quand on reçoit on est censé dire ce qui se dit.

– Tu connais le professeur Igor Zorine ?

Je ne connaissais que lui, fidèle aux rites gloriens, ostensiblement amoureux de la maîtresse de maison, ce qui lui épargnait l'épuisante besogne de jouer les empressés auprès d'une autre. Sa mise, impeccable pour ses soixante ans célibataires, semblait le hausser au-dessus de ses fonctions, en elles-mêmes plutôt prestigieuses, de chef du service de pédopsychiatrie à l'hôpital Saint-Ambroise. Il prodiguait aussi ses soins à Jérémie, le fils de Gloria.

Larry Smirnoff, le directeur du *Matin* de Santa Barbara, coureur invétéré et divorcé de fraîche date, était chargé de m'offrir sa galante compagnie pour la soirée.

Brian Wat occupait le bout de table, à peine gêné par l'incident récent qu'il m'avait involontairement imposé, mais sachant se tenir à sa place de petit personnel ; rose, de gratitude cette fois, devant la générosité – ou plutôt la charité ? – de mon amie.

Une dame grise, vêtue d'un tailleur gris de coupe parfaite sur un chemisier de soie blanche, la cinquantaine à peine défraîchie sous un chignon argenté, et l'œil aussi gris que vivace, fermait le cercle :

– Pauline Gadeau, l'orthophoniste de Jerry, je t'en ai souvent parlé : mon oxygène. (Gloria.)

Je voulais bien la croire, car elle en avait besoin, d'oxygène, la chère Gloria, avec son petit Jerry. Pourtant, je ne croyais pas avoir jamais entendu parler de Mme Gadeau, mais peut-être avais-je oublié ? Gloria était tellement bavarde après son deuxième verre de champagne ! Quant à l'orthophonie, je n'étais pas sûre de m'y intéresser vraiment, surtout après mon deuxième verre de champagne à moi. Quel rapport entre l'orthophonie et la phonétique ou la rhétorique, par exemple ? C'était le genre de question à ne pas poser à Larry Smirnoff, probablement aussi nul que moi en ce domaine comme en bien d'autres, je le savais. Pensez, un journaliste ! Quant au professeur Zorine, il avait entamé son numéro de vieux beau suspendu aux basques de Gloria et ne ferait visiblement aucun effort pour divulguer son savoir linguistique.

Jerry fit, comme d'habitude, une brève apparition pour saluer les invités, et je fus une fois de plus troublée par son inexplicable beauté. Ses yeux gris-noir, immenses, surprenaient sous une chevelure de blé coupée à l'anglaise. Ils illuminaient son visage au teint blond dont les traits, comme dessinés au pinceau chinois, s'égayaient lorsque l'enfant (quel âge pouvait-il avoir ? quinze ans ? il en faisait douze) prononçait quelques mots convenus de sa voix automatique de rééduqué. Sourd de naissance, Jerry surmontait son handicap avec une joie naturelle et taquine, et son aspect de Pinocchio espiègle ou d'Astro-le-Petit-Robot offrait à l'assistance un cocktail de malaise et de fraîcheur.

Le rite accompli, nous nous installâmes autour de la grande table ovale sur laquelle les bougies mettaient une touche de confort désuet, rendue vaine par la lumière trop crue des halogènes, Hester servit le saumon et les blinis. « Servir » n'était du reste pas le mot juste, car la gouvernante et bonne à tout faire de Mme Gloria Harrison faisait, comme toujours, une tête d'enterrement. Les yeux pervenche et les boucles blondes qui auraient pu faire son charme contribuaient au contraire à accentuer le teint de plâtre de sa face truitée, et toute son allure laissait entendre qu'elle haïssait son job. Passer les plats à des convives béats était à ses yeux la pire des humiliations, étant entendu qu'elle, Hester Bellini, les détestait tous sans exception, haïssait la vie même, et peut-être Gloria par-dessus tout. Je n'ai jamais compris pourquoi mon amie s'entêtait à la garder. Sournoise et bougonne, Hester arborait cet air criminel que donnent automatiquement les Photomaton. Sa détestation m'avait-elle contaminée ? Je n'avais jamais pu la souffrir.

Par bonheur, les manières majestueuses et glaciales de Gloria imprimaient un sceau d'irréalité à tout ce qui bougeait, vivait, buvait, mangeait sous son toit. Il ne me restait qu'à me mettre au diapason, à déguster ma tranche de gigot, à sentir le genou droit de Larry peser contre ma cuisse gauche, à me laisser bercer par sa voix enamourée, ou du moins par sa mièvre mélodie, car le sujet en soi était grave : le prochain scandale financier qu'il était en train de débusquer dans les milieux gouvernementaux était près d'éclater à Santa Barbara. « Il éclaboussera le Président en personne, je t'assure. » Je n'avais pas besoin de lui pour être convaincue de ce genre de choses. Larry ne m'aimait guère, mais il se croyait un amant irrésistible, et j'avais besoin de ses histoires. « Des détails, Larry, des détails ! »

C'était un dîner comme les autres, Gloria se distrayait tant bien que mal, de préférence avec des étrangers de passage, agglutinée à son petit clan comme si elle espérait non pas oublier le quotidien, mais l'inclure au fastueux tableau qu'elle se plaisait à composer pour mieux s'en détacher. Du tableau, et du quotidien...

– Michael vous prie de l'excuser. Il a été obligé de partir à la dernière minute. Un rendez-vous urgent, une galerie à Londres. (Gloria voulait se persuader que sa liaison avec Michael Fish était tellement officielle et conjugale que la présence de son amant au dîner aurait dû nous paraître indispensable, et son absence incongrue.)

Nul ne releva la remarque que le ton péremptoire, teinté d'ironie ou simplement artificiel de notre hôtesse annulait d'ailleurs au fur et à mesure qu'elle déroulait son bref message.

Michael Fish était un homme d'affaires vulgaire qui avait joué à gagner et à perdre de l'argent dans des spéculations hasardeuses sans jamais se faire pincer pour escroquerie et en vivant largement au-dessus de ses moyens, comme il est de règle. Jusqu'à ce que sa rencontre avec Gloria lui eût fait découvrir les fruits juteux de l'art moderne. Il s'était alors improvisé marchand de tableaux et avait lancé l'œuvre jusque-là secrète et peu appréciée de Stan Novak, le défunt mari de Gloria, dont il avait bientôt tiré un profit considérable.

J'avais eu de l'amitié pour Stanislas. J'appréciais toujours ses peintures qui continuaient à décorer le salon et toutes les autres pièces de la maison de Gloria. J'avais aimé le timide silence de l'artiste, sa gaucherie, ses yeux verts enfoncés dans leurs orbites et qui ne rencontraient jamais les miens, si ce n'est pour les clouer avec une brusque sauvagerie avant de s'abriter de nouveau sous leurs paupières baissées. Il me faisait rire, avec son obstination à peindre ces éternels visages de femmes déformés, réminiscences de William de Kooning surchargées d'une sorcellerie locale, moins burlesques, plus bilieuses que les visions aérées du peintre d'East Hampton. Quand il se reposait de ses vampires au féminin, Novak rêvait dans des paysages jaune sable, brisés d'éclairs émeraude ou grenat, dont je ne savais si j'admirais le plus la violence ou la tendresse. Il y en avait un, accroché au-dessus du piano, loin devant moi, sur le mur tendu de soie écrue. Stan n'était pas fait pour jouer au mari ; il avait fallu tout le snobisme de Gloria, et son obstination pragmatique par-dessus le marché, pour que leur union gardât les apparences d'un mariage à peu près comme les autres. La naissance de Jerry n'avait rien arrangé. Stan était devenu toujours plus invisible aux dîners. Gloria avait fini par apprendre sa mort d'une overdose, dans un ashram indien, aux côtés d'une vieille maîtresse ou d'une maîtresse vieille, on ne savait trop.

La nouvelle s'était heurtée au détachement dont mon amie était coutumière, depuis quand déjà ? Une neutralité à peine arrogante qui ne l'empêchait nullement de me distiller des confidences à chacune de mes visites. L'indifférence, feinte ou non, permet de dire l'impossible, avec banalité. Je savais tout, autant dire aussi l'insipide.

Avant cette mort, ils en étaient arrivés à ce stade de l'inimitié, à cet incurable reste de désirs qui ne se ménagent pas, où l'hostilité pourtant active se résorbe en douce insignifiance. On pourrait croire que ce sentiment est uniforme et ennuyeux. Erreur. Gloria savait goûter toute la gamme d'une passion brimée mais pas encore éteinte. Une tendresse infantile persistait entre eux deux, les anciens amants retrouvaient parfois des câlins de bébés. Mais ce fade bonheur se figeait, s'emmurait comme s'ils étaient morts l'un à l'autre. Ils ne voyaient ni n'entendaient aucun message en provenance de leur ex-partenaire dont les cellules, pourtant, continuaient à émettre des informations toutes proches et cependant irrecevables. Une hallucination négative, un rien d'image et de son au lieu de ce qu'avaient naguère été l'un pour l'autre Stan et Gloria. Voilà des années qu'ils ne faisaient plus l'amour. Ses infidélités à lui, sa présomption à elle, sans parler des ronflements et de la cellulite, avaient abouti à cet accord tacite : ils faisaient chambre à part. Chambre froide d'une complicité secrète qui a brûlé du feu des excès mais qui, sans les regretter, n'est pas près d'en recommencer les dépenses. Ou, après tout, pourquoi pas, mais alors avec un autre : surprise, insolite, événement... d'accord... à l'occasion, dans certaines circonstances... et encore...

La fragilité de leur équilibre ne trompait personne. Un mot de trop, un surcroît de fatigue, un simple regard troublé par un quelconque conflit extérieur mais qu'on n'arrive pas à oublier de retour à la maison – et tous deux savaient que leur coexistence pacifique reposait sur un désir mort. À moins que ce ne fût sur l'orgueil de qui dominerait le mieux son mépris de l'autre. Stan ne lui posait jamais aucune question : ni sur son travail (que traduis-tu ? ça marche bien ?), ni sur sa forme (santé, maquillage, robe, chemisier, souliers, il y a tant de détails essentiels dans la vie d'une femme), ni sur sa mère, son frère, encore moins sur son père qu'il n'avait du reste pas connu (le vieux Harrison était décédé depuis dix ans déjà, d'accord, mais quand même), ni sur Jerry, car c'était pénible pour un artiste raffiné, n'est-ce pas, cela se comprend. Alors qu'elle, Gloria, n'arrêtait pas de l'interroger, lui, sur l'univers si mystérieux et si prestigieux de l'art, mais ses questions paraissaient au peintre toujours incongrues, déplacées, naïves, d'autant plus que Gloria s'avançait avec cette voix claironnante de directrice de chorale qu'elle prenait pour braver la petite fille apeurée tapie en elle. Stan n'avait pas le temps de déchiffrer ces va-et-vient et, tout à sa vocation, jugeait Gloria indiscrète, bruyante, insupportable. Plus rien à se dire, en somme, comme tout couple ou famille arrivés à maturité.

Ils en étaient là quand Stan disparut sans crier gare. Gloria se retrouva veuve. Drôle de veuve, c'est d'ailleurs ainsi qu'on la surnomma, et elle s'arrangea pour que le jeu de mots devienne réalité. Elle devait bien ça à Stan, à son culte du jeu, de l'amusement, de la désinvolture. N'aurait-il pas été fier d'une femme qui dans le deuil s'amuse ? Gloria se crut le devoir d'assumer le rôle de la veuve joyeuse. Enfin libérée – mais de quoi ? –, insolente et obscène. Je ne comprenais pas très bien, mais cela ne m'intéressait pas de comprendre, et je ne prêtais qu'une oreille vague aux rumeurs.

Michael Fish fut inventé peu de temps après, et Gloria mit toute son ambition à transformer ce Bloch ingrat en un enviable Charles Swann. Le résultat ne fut pas à la hauteur de ses espérances, le personnage demeurait intraitable, et seule sa réussite dans la vente des tableaux de Stan, dont il fit enfin une vedette, justifiait – si besoin était – aux yeux des amis de Gloria l'attachement de l'élégante traductrice au play-boy mâtiné d'homme d'affaires. « Il fait très bien l'amour, il plaît aux femmes », expliquait Gloria dans une moue, sans desserrer les dents, croyant rester drôle tout en exhibant le fond de l'énigme que fut, aux yeux du Tout-Santa Barbara, son inclination pour Michael Fish – faiblesse qui scandalisa un temps avant de sombrer, comme toute chose, dans l'ennui.

– Il vient de téléphoner, il vous envoie ses amitiés. Faites comme s'il était là, il y tient, il le veut. (Gloria insistait pour nous remettre en mémoire l'existence de Michael que nous avions trop visiblement tendance à oublier.)

– Est-ce donc si nécessaire, ma chérie, puisque le professeur Zorine occupe si bien sa place ? (Odile, acide.)

– Je t'en prie, un peu de tact ! (Pascal Allart, jaloux.)

– Je parlais de sa place à table, mon ami. Pour le reste, tu as toujours eu trop d'imagination, je ne savais pas que ça t'intéressait toujours. (Odile, de plus en plus aigre parce qu'elle avait trop bu, faisait allusion à un vieux flirt de son mari avec Gloria.)

– Et moi qui espérais dîner enfin avec le couple parfait ! (Larry parlait toujours trop fort quand il croyait me susurrer des confidences à l'oreille, et ne pouvait s'empêcher de confondre humour et caricature.)

– Vous plaisantez, cher, mais peut-être parliez-vous de Gloria ?... (Odile, ajoutant la perfidie à l'acrimonie.)

– Gloria sera toujours une pomme de discorde. Comment en serait-il autrement ? elle est si belle ! Elle nous poussera au duel, tout cela se terminera dans un bain de sang, c'est moi qui vous le dis ! Un charme pareil, c'est de la sorcellerie, avouez-le. (Feignant de ne pas entendre la Française, Igor Zorine jouait les amoureux transis qui s'essaient au détachement. Décidément, les psychanalystes seront les derniers à nous déballer leurs instincts sanguinaires dans une parole sans retenue. À force de se taire pendant les séances, ils nous réservent de ces dîners !)

– Je préfère le suicide au meurtre. En amour, l'honneur se joue entre soi et soi. La jalousie est un défaut personnel inversé en haine de l'autre. (Brian, du haut de son irréprochable angoisse, essayait d'élever le débat.)

– Peut-être avez-vous raison, philosophiquement parlant. Mais la femme que je suis ne raisonne pas ainsi, ne raisonne peut-être pas du tout. Je hais la femme qui jouit à ma place ! (Odile, avec son invariable regard d'oiseau, venait me rejoindre de l'autre côté de la table.)

– En voilà une version du féminisme ! Qu'en dites-vous, Pascal ? (Larry, l'humour rétif, et soucieux de semer le trouble dans tout ménage qui s'imaginait pouvoir survivre au sien.)

– Qui vous parle de féminisme ? Et si c'était simplement une passion ? (Inflexible dans sa posture comme dans ses théories, le Professeur Zorine tentait d'ouvrir nos oreilles à la vérité et de nous épargner le déballage du psychodrame familial.) Une passion entre femmes, j'entends ! D'ailleurs, il n'y a de passion qu'homosexuelle. « Les deux sexes mourront, chacun de son côté. » Qui a dit cela, mademoiselle Delacour ?

– Cela pourrait être Proust. (Moi, pas très sûre, et de plus en plus imprégnée par le malaise qui planait sur ce dîner.)

– Alfred de Vigny, *La Colère de Samson,* si mon souvenir est bon. (Tiens, la grise orthophoniste s'adonnait à de bien étranges lectures ! Sa voix, faite pour colporter de vertes médisances, faisait fondre le gris glacé de son attitude. Mais je n'eus pas le temps d'être surprise, nul ne prêta attention aux lumières de Pauline Gadeau ; les bouts de table sont des lieux transparents et muets.)

– À ceci près qu'un homme en apparence peut être une femme au fond de lui-même. Ce qui, avouez-le, complique singulièrement le schéma du professeur. (Brian, perfide et important.)

– Je saisis votre allusion, jeune homme. Ne croyez pas que je m'ignore en tant que femme. Je vais même vous faire une confidence : c'est la femme en moi qui aime les femmes. (Zorine, provocateur.)

– Vous allez très loin, cher Igor, méfiez-vous. Si vous êtes en train de nous dire que vous aimez Gloria comme une femme aime une autre femme, et si l'on suit l'aveu d'Odile, vous pouvez aussi la haïr plus férocement que ne le ferait un homme pur et simple s'ignorant en tant que femme, si je puis reprendre votre expression. (Larry, toujours agressif.)

– Rien n'échappe à notre spécialiste des droits de l'homme, hein, Larry ? N'oubliez pas : je suis analyste, et donc analysé. Je sais ce que vous savez *et* ce que vous ne savez pas. Mais moi, je n'éprouve pas le besoin d'aller au bout de mes pulsions. (Zorine.)

– Moi, si. Seulement, je cultive le secret. Et je vous assure que le plaisir est d'autant plus vif. D'ailleurs, Odile est de mon avis, n'est-ce pas, chérie ? En revanche, je crains que votre retenue ne soit bien terne. Je vous plains, Maître. (Pascal Allart.)

– Il n'y a pas de secret, mon ami, tout se sait aujourd'hui. Vous êtes un pervers, voilà tout – au sens gracieux du terme, entendons-nous. Et cela vous va à merveille. (Gloria, coquette.)

– Je devrais vous laisser et aller me coucher si le gigot n'était pas si fondant. (Odile, arrangeante.)

– Tout se sait, ou se saura. (Brian, mélancolique, avec un regard appuyé à Gloria.)

Je lève les yeux sur un paysage bleu et sable barré d'émeraude, et sans me mêler au bavardage, sans même penser à Stan Novak ou à Michael Fish, je m'applique à savourer la pulpe tiède de la tarte Tatin. Encore un de ces moments où je m'étourdis à force d'entendre : séance de sauna mental, écœurement neutralisé. Les hommes comme les femmes, vivants ou morts, ne nous laissent jamais que les traces de leurs sensations. En couleurs, en sons, en mots. Nous les atteignons si nous avons la chance d'oublier nos mesquines ou grandioses préoccupations et de toucher non pas un autre corps, ni même un autre nom qui se dissimulerait au fond ou au-delà de nous-mêmes, mais une vibration qui nous reste habituellement inaccessible et qu'aucun pronom personnel n'a la grâce de désigner. Ocre soleil de mes matins d'enfance que ponctue le velours d'une voix aimée : je rêve dans le tableau de Stan. Le champagne me porte à la passion, quand ce n'est pas à la métaphysique. Sans aucun effet sur la conversation qui suit naturellement son cours...

– Dans tous les milieux, il existe deux ou trois mâles, des étalons, si vous voyez ce que je veux dire. Les femmes ambitieuses s'en servent, se les passent et établissent ainsi entre elles des liens plus ou moins secrets par l'intermédiaire de ces messagers inconscients du sperme, des idées à la mode et donc du pouvoir qu'ils mettent en circulation. (Brian avait tendance à voir les choses en grand sous l'effet de l'alcool.)

– L'inverse étant non moins vrai : ce sont les hommes qui se servent de quelques femmes influentes – elles le sont de plus en plus, non ? – à Santa Barbara comme à Versailles, si vous voulez bien me pardonner cette présomptueuse comparaison. Car, ici comme à la Cour, et toutes proportions gardées, le pouvoir n'étant qu'une fiction et les hommes se trouvant dépourvus de véritable représentativité démocratique pour n'exécuter que des tâches administratives, le pays entier est gouverné par l'opinion, c'est-à-dire par les femmes. Les femmes journalistes, en fin de compte... vous me suivez ? (Dans son monologue de sociologie, le professeur Zorine se donnait les gants de démontrer que la féminisation est inhérente à toute société du spectacle, qu'elle soit ancienne ou moderne.)

– Minute, cher Maître ! Vous dîtes en somme que les médias sont le véritable gouvernement d'aujourd'hui, puisqu'ils font l'opinion, c'est bien ça ? Trois fois d'accord. Il m'a semblé cependant distinguer en leur sein, si j'ose dire, quelques hommes. J'ai cru par exemple rencontrer des hommes journalistes, qu'en dites-vous, Larry ? (Pascal Allart, l'air averti et franchement désintéressé des espions virils.)

– Pure apparence ! Nous sommes fondamentalement féminisés. Il n'y a plus d'hommes ! Il n'y aura plus jamais d'hommes ! Mais ne croyez pas que je me plaigne, que-e-e non ! Je suis comme Zorine, j'aime la part féminine de ma personnalité. (Larry Smirnoff, non content de me faire du genou, poussait l'érotisme jusqu'à m'écraser le pied sous la table.)

– En somme, vous croyez, messieurs, qu'il n'y a toujours pas d'autre choix que celui entre les catins et les Catons, comme on disait jadis à Paris ? (J'interviens, imperturbable, malgré les assauts de mon voisin, et parfaitement ésotérique pour la totalité des convives.)

Silence. Un de ces moments où l'on s'aperçoit que le dîner touche à sa fin.

– Ça alors ! Je ne sais pas si je trahis votre pensée, ma chère Stéphanie, mais vous êtes d'accord, pas vrai, ils commencent par nous faire croire que nous dirigeons le monde et finissent par nous ravir notre essence ! Cécuèfdé : on envie les femmes, messieurs-dames, voilà le vrai malaise des temps modernes ! (Odile avec son rire de plaisir, sans bruit, presque un bâillement.)

Nuit avec Larry. Convenable, sans plus. Réputation surfaite, bien sûr. Dormi jusqu'au brunch dans le grand lit double. Je n'allais tout de même pas fourrer cet homme dans mon tiroir en acajou. Nous aurions pu passer l'après-midi ensemble, il ne demandait qu'à se montrer plus efficace qu'il ne l'avait été la veille sous l'effet du dîner. Mais j'avais des choses à lire, et je voulais me retrouver seule.

J'aime les dimanches après-midi vides à Santa Barbara, dans le cube de lumière au-dessus de la Rivière, face aux rayons sans nuance du soleil déclinant sur l'autre rive. Rien ne me manque et je ne manque à personne. Qui dit mieux ? Un bain chaud, un peu de Vivaldi, et je me couche de bonne heure avec un roman de Christa Wolf pour me persuader que je suis intelligente, que le monde est torve et que je peux me passer de somnifères pour m'endormir. Les droits de l'homme à Santa Barbara, ou plutôt leur inexistence, attendront demain, de même que mon rédacteur en chef qui peut toujours essayer de me joindre : le téléphone est sur répondeur et le fax m'intéressera seulement lundi matin après un bon thé.

Mais pourquoi mon journal serait-il obsédé par ma personne ? Qu'est-ce que je vais imaginer ?

Aucun message, ce lundi matin, 17 octobre. En revanche, la voix de mélomane de Northrop Rilsky.

Et je fonce chez Gloria.

4.

J'étais sûre que mon père m'avait aimée. En apparence, il n'avait cessé de s'occuper de ses propres affaires tout en exigeant de moi diverses choses ennuyeuses ou impossibles, comme faire du patin à glace ou devenir championne d'échecs. Mais il avait su, surtout, me regarder de ses yeux bleus et humides qui contemplaient comme à l'intérieur de lui un être surprenant d'intelligence, peut-être même de beauté, et méritant une infinie tendresse. Faute d'autres témoignages, et compte tenu de l'effacement de ma mère, j'avais conclu assez tôt que l'idole que je déchiffrais en creux dans ces yeux ébahis ne pouvait être que moi-même, Stéphanie Delacour. Depuis qu'il était mort, je le consultais en imagination sur toute question impliquant au moins deux réponses. Et aujourd'hui, comme je m'y attendais, mon père approuvait mon choix, une fois de plus. Il jugeait que le métier de détective était parfaitement compatible avec celui de journaliste, le féminin ajoutant à ce mélange deux atouts maîtres : flair et endurance.

Une fois de plus, donc, mon chemin croisait celui de Northrop Rilsky. Rien d'étonnant, du reste, car j'avais choisi de me mêler de ce qui ne me regardait pas. Mais, cette fois, il s'agissait de Gloria, pourquoi Gloria, bon Dieu ? « Le sort s'acharne toujours sur les mêmes, généralement les déprimés », expliquait le commissaire qui, non content de jouer du violon pour se détendre, se piquait de psychologie et même de psychanalyse.

Bon, les ratages de Gloria étaient notoires, quoique dissimulés : son mariage absurde avec Stanislas Novak, « le génie local des beaux-arts, le Léonard de ces lieux, le tombeur de ces dames » (Rilsky) ; puis l'arrivée de Jerry, la surprise, « que dis-je ? le trauma, le dévouement, la passion » (toujours Rilsky) ; enfin, « ce ridicule Michael Fish » (Rilsky, encore et toujours) que Gloria n'avait aucune chance de faire passer pour un esthète distingué, surtout pas aux yeux de quelqu'un comme moi qui connaissais mon Proust par cœur et ne serais jamais allée confondre le sublime Swann avec un marchand de tableaux, fût-il sexy, natif de Santa Barbara de surcroît. Bref, tout cela était vulgaire, ou tragique, selon le point de vue qu'on adoptait, mais n'expliquait en rien l'assassinat de Gloria. Et moins encore l'acharnement avec lequel une ou plusieurs personnes avaient mutilé son corps.

– Vous avez enquêté chez les voisins, je suppose. (Rilsky, anodin.)

– Deux maisons fermées dans la ruelle derrière, et un couple de retraités dans la troisième – n'entendent pas le jour, boules Quiès la nuit, aucune anomalie. L'école maternelle de la rue d'Angleterre, juste en face, n'accueille pas les marmots le week-end. Le petit square, rien à signaler, par définition. Et le poste à essence ferme à 22 heures le samedi. Résultat des courses nul, patron. Fallait s'y attendre. (Popov, flegmatique et mâchonnant un chewing-gum.)

– Blessure par arme blanche au sein gauche. Attaque abrupte, fond de la plaie effilé, en « queue de rat ». Notez tout, Popov, inutile-de-vous-le-dire. (Rilsky, essuyant ses lunettes avec un mouchoir de soie mauve.)

– ...'nutile, monsieur. (L'adjoint suivait Rilsky comme son ombre, conformément à tout scénario de roman policier.)

– Le labo précisera le trajet de l'arme et le profil de la blessure après dissection du muscle pectoral. Vous me direz si je me trompe, mais je vous le livre comme si j'avais déjà leurs clichés sous les yeux : dans l'espace intercostal, à gauche, près du bord sternal, la lame effilée a dû laisser un orifice ovale entouré d'une infiltration sanguine.

– Ça s'est déjà vu, monsieur. C'est donc probable.

– Pas probable, Popov, sûr ! La lame était très fine, vous ferez le nécessaire pour la retrouver, inutile-de-vous-le-dire.

– ... 'nutile, monsieur.

– Car c'est bien là notre tâche, je veux dire la vôtre, Popov, que de retrouver cette lame, et la main qui l'a tenue. Cela va sans dire.

– Cela va sans dire, monsieur.

– Le feuillet péricardique est lui aussi porteur d'un orifice ovale, je le vois d'ici, plus petit mais décisif. Une ecchymose importante doit marquer la face externe du sac péricardique au voisinage de l'orifice, en raison du plus grand nombre de vaisseaux sanguins irriguant cette région.

Northrop Rilsky continuait à s'enfoncer mentalement dans la plaie qui perçait le sein gauche de Gloria, sous le bustier déchiré et imbibé de sang de sa belle robe du soir en satin ivoire, tout en jetant des regards triomphants vers le médecin légiste dont le commissaire était trop heureux de démontrer d'ores et déjà l'inutilité. Car le détective en chef de Santa Barbara excellait dans tous les savoirs, notamment dans ceux des autres, mais réussissait rarement dans le sien dont la vocation normale eût été de découvrir le coupable.

Rilsky se plaisait, sans l'ombre d'un doute, dans sa mise choisie comme pour aller au théâtre : complet d'alpaga anthracite à rayures grises, à la Cary Grant, d'une coupe parfaite et qui sortait de chez le teinturier. De toutes ses chemises, qui variaient avec prudence du blanc au pastel, il avait préféré, ce 17 octobre, la rose pâle que mettait en valeur la cravate assortie à ramages écarlates sur fond marine. L'allure costumée de l'inspecteur en chef, qui détonnait généralement dans les situations lugubres qu'il était censé débrouiller, se trouvait cette fois dans une étrange harmonie avec la scène théâtrale de la décollation de Gloria. D'épaisses lunettes à monture d'écaille lui donnaient moins cette allure d'intellectuel à laquelle il aspirait qu'un air ahuri qui trahissait sa nature timide. J'y voyais une preuve anticipée de ces défaillances professionnelles que le destin devait heureusement lui épargner en m'envoyant, moi, à son secours. Quant au lieutenant Andrew Popov, son second, incapable de rivaliser avec tant d'élégance, il se permettait une seule provocation, d'ordre vestimentaire, à l'égard de son patron : jeans, sweat-shirt et blouson de cuir. Cette mise ultranégligée – ou ultramoderne – conférait d'emblée un sens ironique à ses propos apparemment obséquieux. Armé d'une caméra vidéo, il avait déjà fait le tour de la chambre sans omettre le moindre détail visible du cadavre décapité.

– Vous verrez que nous aurons en bout de course une plaie de dimensions inférieures aux précédentes, intéressant le ventricule droit près du sternum interventriculaire. Cet ultime orifice confirmera que la lame était celle d'un couteau effilé. La blessure a été mortelle, car le sang s'est épanché dans le sac péricardique, réduisant d'autant le débit cardiaque. Vous me suivez, Popov ?

– Je vous suis, Patron.

– Si vous étiez plus libre d'esprit et moins prompt à acquiescer, vous auriez pu m'objecter que le décès de la victime a pu intervenir avant que ne soit porté le coup à l'arme blanche dont témoigne la blessure. Notamment par l'absorption massive de somnifères ou de toute autre drogue, à preuve le flacon trouvé près du corps. N'y touchez pas, le Doc le mettra sous scellés, je préfère cela, avec les autres prélèvements, inutile-de-vous-le-dire.

– ... 'nutile, monsieur.

– Ou par strangulation, car il nous manque la tête, vous avez remarqué, mon cher Popov...

– J'ai remarqué, Patron.

– ... pour constater d'éventuelles traces sur le cou. Or, faute d'analyses supplémentaires, nous ne pouvons déterminer, au moment où je vous parle, si le décès est survenu avant ou après la blessure à l'arme blanche. J'ai donc quand même besoin de vous, Doc, et de votre labo. La quantité de sang dans le sac péricardique nous renseignera là-dessus. Je n'exclus naturellement pas l'hypothèse de la mort subite par inhibition, auquel cas l'autopsie et les examens complémentaires seront désespérément normaux.

Cette idée n'était pas pour me déplaire : si une personne au monde pouvait avoir succombé d'une « mort subite par inhibition » – et je tournais et retournais la formule dans tous les sens –, c'était bien Gloria ! « Stimulation vagale », aurait diagnostiqué Rilsky, donc décès brutal entraîné par toute excitation d'un site sensible (peau, larynx, organes génitaux, col utérin, périnée, tympans, plexus solaire et j'en passe...) due à n'importe quel agent, fût-il psychologique et forcément émotionnel. Quoi de plus émotionnel que Gloria, affolée devant son agresseur, même sans agresseur, d'ailleurs, proie facile d'une peur comprimée, vagale, vaginale, urétrale, carotidienne, solaire... La diversité des peurs rivalise avec l'infini. Ce qui ne diminuait pas, loin de là, la responsabilité de l'assassin, encore que...

Le légiste, qui avait l'habitude de travailler avec Northrop Rilsky, n'était pas autrement troublé par l'omniscience de son distingué collègue et finissait de ranger consciencieusement ses échantillons dans de petits sachets en plastique, flacons et tubes à essais.

– Travail de professionnel. (Le spécialiste se pencha pour la dernière fois sur la coupure bien nette de la décapitation.) De plusieurs heures postérieur à la mort, compte tenu de l'épanchement sanguin fort modéré à la partie supérieure du tronc. Vous aurez noté comme moi le tissu de granulation qui commence à se former sur la plaie pectorale, laquelle remonte par conséquent à deux jours environ, alors qu'on n'observe ni fibroplastes ni capillaires dans la région du cou – je veux dire de la décapitation –, nettement plus fraîche.

Granulation ou pas, fraîcheur ou pas, le mot « modéré » paraissait déplacé pour un carnage dont l'auteur s'était payé le luxe de faire disparaître, comme par hasard, la partie pour moi essentielle et nullement « modérée » de la personne, dite « partie supérieure du tronc ». Je trouvais pour ma part que la scène ne manquait aucunement de sang avec le tapis imbibé, la robe souillée, l'étoffe virant au violet sur toute la moitié gauche du bustier percé par la fameuse arme blanche.

– Beau prélude à un exercice de dissection comme on en pratique à la morgue de la Faculté ! Je vous aurais suggéré de chercher du côté d'une farce de carabin, cher Northrop, si les circonstances n'étaient pas si peu universitaires. (L'homme de l'art se moquait du policier sans se départir du mauvais goût naturel au corps médical.)

– Vous manquez d'imagination, Doc, inutile-de-le-dire ! (Northrop Rilsky, humaniste énervé.)

– ... 'nutile de le dire. (Popov, narquois.)

– Quant à l'hypothèse des deux agresseurs, mes félicitations, ça crève le plafond, ou plutôt le plancher ! Voyons, vous nous prenez pour des enfants ? Je ne vous retiens pas et vous remercie à l'avance des résultats de vos analyses : je les attends, inutile-de-vous-le dire. (Northrop Rilsky au médecin qui claquait déjà la porte.)

Enfin le commissaire, qui avait pourtant et à plusieurs reprises cherché mon regard, mais s'en était détourné dès qu'il l'avait capté, fit semblant de s'apercevoir de ma présence.

– Quelle surprise, mademoiselle Delacour, et quelle chance, devrais-je ajouter, de vous revoir à Santa Barbara ! Vous ne ratez aucun des moments dramatiques de notre histoire, on dirait, et Dieu sait si nous n'en manquons pas, de drames ! Non, non, tout le plaisir est pour moi. J'ai souvent pensé à vous, ces temps-ci. Hier ? Avant-hier ? Ah mais, je suis parfaitement sérieux, j'aurais aimé vous faire écouter le dernier enregistrement de Yehudi Menuhin, un cadeau que je viens de recevoir de Londres, je sais que vous l'appréciez presque autant que moi. Et voilà, le destin nous prive de cette joie, pour le moment, du moins. Vous m'excuserez si je désire vous entendre à titre de témoin, il n'est pas question de suspect, même si l'idée pourrait paraître intéressante à tout autre, vous me suivez, sauf à moi, cela va sans dire... À titre de témoin, donc, ainsi que les autres convives de ce dîner du samedi 15 qui, je crois, a précédé les événements, et auquel vous assistiez, si je ne me trompe ?

Rilsky jubilait de s'enrouler dans ses phrases interminables quand il croyait me piéger tout en me faisant une cour aussi sincère que surannée.

Je me laissai prendre au jeu.

5.

Gloria aurait pu se suicider, ça oui. Elle aurait dû, je l'aurais fait si j'avais été à sa place : effacer les souffrances de Jerry, donc Jerry en personne, et liquider ensuite elle-même la responsable du crime. Je suis persuadée qu'elle y avait pensé plus d'une fois – ses yeux détournés, ses masques plâtrés qui ponctuaient subitement sa belle indifférence toujours recommencée. Non qu'elle y eût jamais fait la moindre allusion devant moi, je n'étais même pas sûre qu'elle s'en fût ouverte à Odile, en tout cas le moment était venu de vérifier. Gloria n'avait rien de ces postféministes émancipées le matin et qui essaient l'après-midi de se convaincre que la magie ultime du deuxième sexe réside, ô surprise, dans les plaisirs d'alcôve, la conquête des jeunes gens ou les exquises déprimes de leur for intérieur. Atavisme maternel russe ou lectures hypnotiques de Dostoïevski, Gloria était persuadée que la souffrance, le plaisir et l'ennui sont l'apanage des âmes aristocratiques. Mais elle savait aussi que la douleur calcine le temps infini en un infini point : la douleur est la vérité du temps, elle coïncide avec lui en s'arrogeant le droit de le suspendre. Fuir le monde et se retirer avec Jerry dans un couvent ? Pas impossible, elle devait s'y tenir prête, non sans tenter une dernière folie, l'aventure avec Michael Fish. Ou simplement avaler le contenu d'un tube de somnifères, ce flacon vide que le lieutenant Popov vidéoscopait en gros plan sur la table de nuit à côté du cadavre décapité. S'étaient-ils acharnés sur son corps alors qu'elle n'était déjà plus là ? Mais qui ? et pourquoi ? Ou bien était-elle profondément endormie, inconsciente, abrutie, incapable de résistance, et avait-elle senti du fond de son sommeil toxique la haine de ses agresseurs ? Une haine qui avait dû la rassurer, confirmation physique de la détresse que le monde n'avait cessé de lui infliger tout au long de sa vie et contre laquelle elle avait crâné jour après jour, tenace, au point de ne plus savoir même s'il s'agissait d'une réalité ou d'une hallucination. Aucun doute maintenant, en cette fraction de seconde fatale. Face à face avec la haine incorporée, le mal hors temps, la mort.

Elle était revenue de tout quand survint sa grossesse. La première et probablement aussi la dernière : il fallait donc garder le bébé. Jamais femme ne fut plus heureuse que pendant ces neuf mois au cours desquels elle porta Jerry. Une solitude à deux, l'extase du Bernin avec l'avenir en plus. Le traumatisme n'en fut que plus cruel. Dès l'accouchement, la sage-femme prit un air faussement béat. Le gynécologue bredouilla des superlatifs. Stan n'avait pas pu assister à l'événement, on s'en doute, il participait à l'une de ces réunions bihebdomadaires de la secte dont il était devenu un membre influent et qui soutenait avec une belle efficacité son inspiration, ainsi que ses ventes. Très heureux de la naissance de son fils, il ne se manifesta guère par la suite, vous connaissez les artistes : une inspiration aussi subite qu'irrépressible avec « la » modèle préférée, un déjeuner avec « la » journaliste essentielle, quand ce n'était pas une télévision à l'approche de la campagne présidentielle, car on apprécie beaucoup l'avis des artistes en période électorale, à Santa Barbara. Or, ces choses-là tombent toujours à l'heure d'un rendez-vous médical, d'une visite à la Sécu, d'un accouchement, d'une inquiétude. Au troisième jour, Jerry fut placé en observation. Rien de précis, la médecine n'est pas une science exacte, et le traumatisme, contrairement à ce qu'on croit, frappe peut-être en un éclair, mais s'installe avec lenteur. On finit par diagnostiquer que Jerry était sourd. On finit par le lui dire, à elle. Il n'entendait pas, n'entendrait pas et ne parlerait pas. Sauf rééducation, bien sûr : on fait des merveilles, aujourd'hui, il serait déraisonnable et surtout prématuré de s'affoler.

Les spécialistes se voulaient rassurants : « Ce n'est qu'une surdité moyenne, vous savez, rien que quarante à soixante-dix décibels de perte, on va l'appareiller, vous verrez, tout ira bien, votre fils n'aura même pas besoin du langage des gestes, il pourra s'exprimer oralement et suivre une scolarité normale. » Elle les écoutait, avide : l'espoir. Puis elle finit par ne plus les entendre. Rien que la petite voix de Jerry, monocorde, au timbre étrange, nasillé, nasonné, au débit martelé, traînant. Sa mélodie désespérément plate s'élevait à la fin des mots et des phrases comme s'il posait une question, toujours la même, une incessante demande. Des sons aigus, presque pas de graves, la voix d'une fille qui interroge une sphynge muette. Gloria comprit qu'il faudrait tout lui apprendre. D'abord, entrer dans ses sens : les yeux et les images, les lèvres et les goûts, les narines et les parfums.

Puis nommer cet univers partagé, construire la langue parlée comme une langue étrangère, traduire – c'était ça son métier, après tout, sa vocation, son destin. Comme Stan, Jerry était un glouton optique. Il dévorait des yeux les images et, très tôt, se nourrit des peintres dont Gloria lui montrait des reproductions pour visionner avec lui ce qu'ils avaient éprouvé ensemble. La peinture devint la première langue étrangère de leur communion sensible, leur allemand, leur anglais, leur chinois. Puis elle transposait en mots. Jerry assimilait, souriait, attendait. Elle devina d'emblée qu'il ne fallait pas espérer ses questions, qui d'ailleurs ne venaient pas. Elle se porta au devant d'elles, imagina à la place de Jerry ce qu'il voulait savoir quand il articulait ces phrases hachées, informes, mais dont la tension ascendante indiquait bien un désir, une quête. Je te questionne, tu me questionnes, notre jeu t'apprend la question que ta mélodie porte mais que ta parole tait. Je joue, tu joues, je traduis, tu apprends, nous jouons, tu parles, c'est arrivé, cela ne cesse d'arriver, cela n'arrivera jamais mais ça vient, de mieux en mieux, tu me fais plaisir, cela te fait plaisir, on va continuer, on ne se quittera jamais, je te traduirai jusqu'à la fin. Tu traduiras sans fin.

Gloria ne s'affola pas. Elle se cramponna au pauvre petit Jerry. Un amour. Son amour. L'unique. Sûr. À jamais. On dit que les bébés, tels les singes, s'agrippent à leurs mères. Faux. C'est l'inverse. Si Gloria n'avait pas eu Jerry, elle n'aurait pas survécu. À quoi ? À la vie, à Santa Barbara, aux souvenirs d'enfance, à tout ça qui, d'ailleurs, n'a aucune importance, précisément. Et à son génie de Stanislas, l'artiste-catholique-alcoolique-et-polygame qu'elle adorait par-dessus tout. Elle n'aurait pas tenu le coup. Jerry était un don du Ciel, son complément, sa prothèse. Elle se dévoua à lui corps et âme, comme on dit. Une sainte ? Rien à voir. Le dévouement est une dévoration. Elle comblait si bien l'enfant de ces soins qu'aucun homme, aucune femme ne lui avait jamais prodigués à elle, Gloria, que Jerry, déjà pas gâté à la naissance, avait du mal à s'en sortir. Défaut physiologique et anxiété maternelle surprotectrice : les pédiatres, pédopsychiatres et autres neurologues surdoués y perdaient leur latin. Au grand désespoir, qui fut aussi une jubilation, de Gloria. Décidément, on ne pouvait compter que sur soi. « Soi », c'était tout pour Jerry – mère, père, grand-père, grand-mère, tante, cousin, cousine, parrain, marraine, médecin, psy, copain, amante, matrice, utérus, oreille, bouche, ventre, anus, Dieu et j'en passe. De quoi occuper une vie déjà bien remplie – remplie de traductions, car il fallait entre-temps assurer la matérielle, vu les moyens plutôt incertains dont disposent, comme on sait, les génies de la classe de Stanislas, par définition en guerre contre une société qui le leur rend bien. Heureusement, l'héritage immobilier de la très honorable famille Harrison assurait un luxueux domicile que personne et à aucun prix n'aurait songé à vendre : cette superbe maison que leur enviaient tous leurs amis.

Stanislas aussi fut traumatisé, à sa façon. Il n'avait jamais voulu être père, jugeant la fonction inesthétique, et n'était nullement persuadé qu'il avait quoi que ce soit en commun avec le malheureux nourrisson. Celui-ci semblait souffrir atrocement, en dissonance complète avec cette aisance que respire l'œuvre d'un vrai artiste dont la nature désinvolte et heureuse n'est pas faite pour les épreuves de l'existence. Jamais désir de femme et projet d'homme ne lui parurent aussi incompatibles que face au petit bonhomme.

Son visage blond et rebondi se creusa, ses yeux sévères – des yeux de peintre qui ne regardent pas mais se vrillent dans les choses pour en extraire un mouvement, lequel mouvement, en réalité, depuis toujours inquiète sa propre chair, mais ainsi seulement reçoit une forme et provisoirement s'apaise – prirent l'air câlin et vexé d'un bébé qui a faim. Les misères de son fils lui revenaient de l'intérieur, une plaie secrète que Stan avait su jusque-là ignorer s'ouvrait sans crier gare au grand jour. Était-ce sa faute, ou l'agression venait-elle des autres, mais lesquels ? Il aurait voulu demander du secours, pour la première et la dernière fois de sa vie implorer le secours des autres, précisément, mais lesquels ? Il n'y a personne dans ces cas-là. Comme toujours, d'ailleurs. Et Gloria, qui aimait comprendre et ne s'en privait pas, comprit qu'il ne fallait rien lui demander. « Dans mon mariage, tout est assorti, disait-elle en plaisantant à son amie Odile, sauf les caractères. » Et, un peu plus tard, toujours citant une célèbre marquise : « Je partage un malheur assez général, mais je ne sais pas trop lequel : de ne pas aimer mon mari ou de ne pas être aimée par lui. »

Stan était de ces hommes qui tiennent le refus de complicité pour une condition de l'érotisme. Gloria prit le choc de plein fouet, puis finit par tirer profit de ce désert. Ne pouvant compter sur celui que vous aimez, vous ne comptez plus sur personne, mais acquérez en revanche la dureté innombrable et inconsistante du sable. Les années passent, le sable ne compte toujours que sur lui-même : immense, irrepérable solitude. Jusqu'au jour où un copain pourtant quelconque vous propose de garer votre voiture, histoire de vous épargner un peu de temps ; ou une voisine opaque se dit prête à garder Jerry quelques heures, juste comme ça, pour rien, gratuitement. Brusquement, le sable réalise qu'il se tassait depuis dix ans déjà sur une planète morte, et qu'une autre vie existait, simple, possible, ailleurs, tout près. Mais comment y accéder quand on s'est déjà coulé dans les habitudes sans complicité d'un sable privé d'adhésion ? Il aurait fallu une grosse marée ou une pluie bien drue pour agglutiner cette substance aux liens sectionnés, en faire une pâte amicale, malléable. Des déluges comme ça n'arrivent que dans les mythes. Alors, Gloria retournait, plus sablonneuse encore, à son désert.

D'où vient que certaines personnes semblent manquer de profondeur ? Sans verser dans le misérabilisme, Gloria pensait qu'on appelle profondeur l'aptitude à se tenir dans la douleur avec discrétion. Ce n'était pas pour se flatter, mais elle estimait qu'il y fallait une force calme. Certains faibles s'effondrent, d'autres ferment les volets de leur âme et s'enfuient. Stan, qu'écorchait vif le moindre mal-être, se protégeait en mettant à plat son âme dans ses tableaux. La peine s'en allait ainsi, mais en emportant l'âme, et la profondeur. Les peintres n'ont pas d'âme, c'est bien connu : des êtres tout en surface. Sauf les génies qui impriment une profondeur au visible pour nous ouvrir les yeux de l'âme, et ceux du corps en prime.

Gloria se retrouva enfin seule avec cet enfant qui, pour toute autre, eût été un fardeau, mais qui, pour elle, devint sa seule chance. « Être utile à quelqu'un. Faire l'impossible. C'est peut-être cela, aimer, n'est-ce pas, Pauline ? » demandait-elle naïvement à l'orthophoniste de Jerry. Cette dernière se taisait, docile et souriante, sachant bien qu'à l'aune de Gloria, fort peu de gens auraient pu prétendre « aimer » ou se dire « aimés ». L'abnégation est un délire de gloire qui maquille des traumas. Pauline était bien placée pour le savoir, mais son rôle était de faire parler les autres, pas de parler elle-même, encore moins d'elle-même.

Chemin faisant, Gloria apprit tout ce qu'il fallait apprendre pour transformer un enfant « handicapé » en être « normal », et, en évitant soigneusement l'un et l'autre mot, elle enseigna à Jerry à se battre pour vivre parmi les autres. Son amour pour son fils ne la rendait pas vraiment aveugle à ses défauts, mais il l'embellissait au point que, par moments, elle ne voyait plus ce qui le distinguait des enfants de tout le monde. Les regards apitoyés ou agressifs qu'attiraient la parole hésitante et les raisonnements sommaires du petit sourd rééduqué lui instillaient de ces amertumes qui amplifient la fierté et l'amour. L'épreuve n'est vraie que muette. Gloria n'avait rien à faire de la compassion appuyée des voisins, de la froideur scoute des paroissiens, de l'inquiétude des enfants ordinaires (elle disait « ordinaires » car elle n'aimait pas le mot « normaux » : qu'est-ce que ça voulait dire ?) lorsqu'ils se trouvaient un instant seuls face à l'étrangeté de Jerry. Elle essaya d'éviter les âmes charitables, toujours prêtes à se dévouer pour mieux présenter, vicieuses Samaritaines, leur addition au quintuple. Elle apprit à regarder juste au-dessus des yeux des gens et à ne penser qu'aux tâches qui lui restaient à accomplir pour aider Jerry.

« Il croit que je crois qu'il ne souffre pas. » « Elle croit que je suis comme tout le monde. » Mère et fils jouaient à se tromper, peut-être, en conséquence de quoi Jerry devenait de plus en plus comme tout le monde. Presque. Et Gloria, si sûre de se maîtriser, oubliait parfois de se surveiller. Alors la fixité de ses yeux s'embuait.

Par chance, leur solitude ne resta pas longtemps ainsi emmurée. Pauline Gadeau la peupla bientôt de sa compétence d'orthophoniste et d'un tact aussi effacé qu'efficace. Gloria n'avait pas besoin de se plaindre, Pauline comprenait et faisait face. Un peu d'air pour Jerry. Il en profita pour respirer, ce qui, en langage éducatif, s'appelle « faire des progrès ».

6.

L'enfant avait fini par posséder Gloria. Sexe, ambition, séduction, réussite professionnelle, charme féminin, gym, équitation, coiffeur, sorties, dîners, invitations, cocktails – le monde, autant dire, s'était volatilisé. Disparu. Plus rien. Mais c'était à peine si Gloria s'en apercevait, elle ne regrettait rien, vivait à fond. La possession : un seul amour qui absorbe l'univers et vous résorbe dedans, ou dehors, aucune différence. Il n'y a plus de « vous ». Possédée, vous cédez devant ce qui n'est pas un pouvoir, mais une évidence. Car Jerry ne lui imposait rien, et personne ne lui demandait quoi que ce fût. Au contraire. Tant de mères confient leurs « enfants en difficulté » (comme on dit maintenant, parce que tout le monde est antiraciste et qu'il n'y a plus de norme) à des institutions – des institutions qui ne manquent pas, du reste, plus ou moins sérieuses, qu'importe, à chacun son destin. « C'est de naissance, disait la vieille Mme Harrison qui ne comprenait rien à l'acharnement de sa fille ; tu devrais penser un peu à toi ; as-tu songé à ces centres en Suisse ? On en dit beaucoup de bien. Et puis, tu n'es pas assez moderne. L'instinct maternel n'existe pas, ma fille, je l'ai lu dans un livre récent, et c'est une jeune femme comme toi qui le démontre par X et Y, et de A à Z, tu devrais lire ça. Prends le vent, prends l'air, milite, sois féministe, qu'est-ce que j'en sais, moi ? »

Mais, comme cela arrive souvent dans les couples dits classiques de nos parents, qui ne se séparent pas une seule nuit en cinquante ans de vie conjugale, Mme Harrison, qui n'avait jamais été malade, contracta l'asthme des vieillards avec son deuil et décéda deux ans après la mort de son mari. Il ne restait désormais plus personne pour border d'un peu de bon sens la pauvre Gloria.

Elle n'avait d'ailleurs même pas remarqué l'insensibilité de sa mère, et c'est peu dire qu'elle ne lui en voulait pas.

Sa possession à elle n'était pas un ressentiment. Rien qu'une concentration, l'humiliation devenue sérénité. Quand la blessure se transforme en bouclier, vous devenez intouchable. Comment était-elle parvenue à cette épuration du trauma, qui se savoure comme une vodka glacée : sans joie, toute ivresse distillée ? « Le Surmoi ! Vous êtes bien une fille du père ! » dissertait le professeur Igor Zorine, le « psy » de Jerry. Mais oui, mais oui, concédait Gloria, moins pour lui faire plaisir que par goût des théories. Tout de même, combien de filles du père étaient incapables de cette folie blanche, de cette passion exsangue, de cette discipline casher ? Le plaisir du renoncement n'engendre pas plus les héroïnes qu'il n'alimente les saintes anorexiques. Il s'insinue dans la réserve d'une femme qui danse seule, en robe mauve, dans un dancing désert, sur un air de Ray Charles. Sans lumière, les yeux ouverts sur l'intérieur, inaccessible, inaltérable. Décidée à tout. À rien. Jumelle de la mort, version colorée de la mort. Jusqu'à ce que Michael Fish fasse son entrée.

Les grands sportifs et les grands virtuoses connaissent cette ultime résorption de soi dans la possession de ce qu'on appelle une technique, et qui est en fait une passion paradoxale : la personne entière différée dans autre chose – code, langue, rites, règles. Le soi de l'être hors-soi.

Une seule peine écornait cette citadelle offensée. La parole de Jerry, certes rééduquée et de mieux en mieux construite grâce à Pauline Gadeau – sans oublier Gloria elle-même, bien sûr –, cette parole ne parlait pas. Son fils ne lui disait rien qu'elle ne lui eût déjà dit, qu'elle n'eût attendu, prévu, programmé. Les mots-prothèses de Jerry, ses phrases-prothèses, ses histoires-prothèses réservaient rarement de ces surprises qui font l'enchantement des parents, de ces fulgurances qu'ils prennent pour le génie de leur progéniture. Jerry assurait, renvoyait parfois la balle avec justesse, mais ne montait jamais au filet. Son intelligence, pourtant si sensible aux remous des humeurs comme aux égarements de la nature, des bêtes, des gens, demeurait on ne peut plus modeste dans l'échange des pensées et le privait d'invention. Gloria manquait de partenaire pour les joutes verbales, les feux d'artifices littéraires, les envolées philosophiques qu'elle avait rêvé d'entretenir avec les siens. Ce n'était pas Stanislas, enfermé dans ses œuvres et subjugué par ses admiratrices, qui aurait pu remédier à cet univers aussi charmant que borné dans lequel s'épuisaient mère et fils. Même les colères de Jerry, que l'adolescence devait immanquablement exacerber, s'exprimaient en termes empruntés aux clichés des pubs télé, quand elles n'étaient pas sur-le-champ escamotées sous quelque banale et désarmante manœuvre de séduction. Et Gloria d'avaler sa frustration verbale, inondée par la malice de son enfant qui avait appris à compenser sa raison exiguë par une tendresse des plus perspicaces.

Faire face au présent. Cortège des petits et gros détails : Sécu, école, maladies, médecins, impôts, parking, essence, pannes, plomberie, électricité, comptables, postiers, chéquiers, télécom, boulangerie, boucherie, teinturier, papeterie, autres écoles, autres médecins, autres pannes, un peu de gym, un peu de parfum, du tennis, la forme, une traduction, deux traductions, trois traductions, un éditeur, deux éditeurs, trois éditeurs, un déjeuner, deux cocktails, trois dîners, des billets de train ou d'avion, deux allers, trois retours, vous êtes sûrs, mais si, encore un effort, faites l'impossible, je le fais bien, moi, allons-y, on y va, agences : de voyages, de location, de gens de maison, immobilière, mobilière, acheter, surveiller, suivre, gagner, dépenser, faire face. Assommant ? Pas vraiment. Gloria avait atteint un état d'efficacité insensible qui aurait pu être celui de la matière à vitesse supersonique : au-delà de Mach 2.9, le mouvement accumule les événements, mais aucune surface ne résiste au flux pour en mesurer la charge. C'était aussi simple que ça, et dans cette agilité d'au-delà du mur du son, elle exécutait ses tâches avec une légèreté robotique. Car, précisément, ce n'était plus « elle » – mais qui, alors ? Cet anonymat supersonique ne cachait-il pas une agitation, une aliénation, la folie même ? Par miracle, Gloria dissolvait les démons qui l'habitaient peut-être sans jamais les laisser apparaître au grand jour.

Le traumatisme consumé diffuse une impondérable allégresse qui assume tout, puisque *tout* est déjà *rien*. « Elle n'a pas d'âme, c'est pourquoi je l'ai épousée » (l'ironie de Stan prétendait au compliment et l'autorisait à poursuivre, lui aussi sans âme, la conquête de ses maîtresses). « Elle est maso, voilà tout » (Odile Allart, bien placée pour savoir qu'on appelle couple la belle apparence d'un épuisant conflit). Le sourire entendu de Gloria accueillait ces verdicts comme si elle leur donnait raison, mais pour mieux suivre la sienne : sa déraison à elle. Jerry n'en était peut-être que le prétexte : s'il n'avait pas existé, il aurait fallu l'inventer pour atteindre ce point où l'action rabat l'angoisse en placidité.

Elle soignait en permanence une invisible blessure. Pour être exact, le mot *soin* ne convenait pas, mais elle n'en trouvait pas d'autre. Il s'agissait de faire advenir à la vie humaine cette sorte d'autre vie qui était celle de son fils, qui n'était sûrement pas animale, encore moins végétative, mais qui bégayait à ce qu'on croit être l'orée de la condition humaine, avec la parole. Gloria s'avançait en deçà de cette sacrée frontière pour ramener Jerry à la surface des êtres normalement constitués. Souvent il lui échappait, car il se plaisait bien là-bas, au-dessous, ou bien était-ce au-delà, dans un monde qu'elle dut apprendre elle aussi à apprivoiser : odeur, salive, couleur, toucher, calfeutrante ténacité du silence. Elle l'y accompagnait pour mieux l'arracher à cette adhésion paisible, le rendre enfin aux mots et aux règles des autres.

Du reste et en vérité, ce fut elle, l'enfant handicapé. À sa place à lui, elle accédait lentement à ce qu'on la supposait savoir mais qu'elle n'avait jamais réellement possédé. Possède-t-on ce qui vous est d'habitude donné ? Pour Jerry, avec Jerry, elle s'enseignait les noms des sons et des parfums, la logique des histoires et leurs détours, les secrets des attitudes banales : se tenir, se tenir droit, se tenir bien, se montrer digne, attentif, charmant ; être fâché, pourquoi pas, mais point trop ; discuter, argumenter, souffrir, pâtir, mépriser, jouir, vivre. Rien de tout cela n'allait de soi pour Jerry, rien ne lui était inné, il devait apprendre, elle devait apprendre à lui apprendre, et, pour cela, elle devait apprendre pour elle-même, redécouvrir, non, découvrir le goût des choses ordinaires et des mots sûrs.

Les mères n'accouchent qu'une fois pour toutes de leur fils ou de leur fille. Cet événement physiologique paraissait désormais à Gloria d'une simplicité bestiale. Chaque jour, à chaque minute, chaque seconde, elle s'évertuait à faire naître une passerelle reliant la cachette où se terrait Jerry à la lumière sonore des humains. Une biologie inachevée, une lésion que ne pouvait lire aucun scanner, une effraction ou une suture affreusement douloureuse avaient inscrit sur son visage de bébé cette grimace de peur et de refus qu'il avait peu à peu transformée en sérénité. Peut-être acquit-il la certitude qu'avec Gloria il était inutile d'avoir peur ? Que le désarroi transmissible n'était plus un désarroi ? Gloria, refuge et pansement durable. Depuis des années, cette mère se tenait à la bordure entre gènes insuffisants et sens amoureux. Coupable *et* responsable. Un accouchement permanent d'une autre nature, continu, inouï – sa mystique à elle.

Elle avait mis du temps à admettre que Jerry n'était pas comme tout le monde. L'amour empêche de voir en face et ne fait qu'espérer. Elle avait mis du temps à reconnaître qu'elle lui avait tout pris, peut-être – c'était l'excuse lâche – parce qu'on lui avait tout pris, à elle. Peu importait qui ou quand. Incapable de vengeance, Gloria s'incurvait au-dedans d'elle-même, s'auscultait, râclée, émiettée : de la vitalité occulte qui fait les mères, il ne lui restait en somme que des morceaux compressés. Comment aurait-elle pu engendrer un être comme les autres avec toutes ces blessures à l'intérieur ? Cette invisible débâcle, elle la lui avait transmise, cadeau empoisonné. Elle aimait en Jerry sa propre faiblesse insoupçonnée, cette débilité tendre et cachée.

« Tu perds ta vie et ton talent pendant que Stan s'envoie en l'air et fait une œuvre, d'après ce qu'on dit ». (Odile essayait de la ramener à plus de pragmatisme.)

Faire une œuvre ? S'envoyer en l'air ? On voyait bien qu'Odile n'avait pas d'enfant. Qui pèse le plus lourd : « une tache de sang intellectuel que toute l'eau de la mer ne suffira pas à laver » (c'est bien connu), ou bien « un enfant qui meurt de faim » ? Ce n'était pas ça non plus. Il fallait avoir le culte français des lettres, s'exalter avec les romantiques et se culpabiliser avec les profs, par-dessus le marché, pour imaginer même la possibilité d'une si mortifiante alternative. La question n'était pas là, la question ne se posait pas quand on avait touché à *ça*... Le culte de l'œuvre ? Pourquoi pas, soyons charitables avec ceux qui en vivent, des plus modestes aux plus accomplis : cela nourrit bien l'apothéose de soi, les religions laïques, la survie muséiforme des civilisations... Mais non, cette solution-là était trop personnelle, trop m'as-tu vu, pas faite pour Gloria... L'enfermement ovoïde des amoureux dans leur ashram, tabernacle ou Vatican ?... Pas fait pour Gloria non plus. Ces gens qui n'avaient à la bouche que l'absolu n'éprouvaient pas la moindre parcelle de *ça*.

Ça ? La noire et liquide lumière de ces yeux, grands, étonnants, tenaces, qui vous noient comme l'eau ronde d'un puits. *Ça ?* Elle avait eu peur, enfant, d'une nouvelle qu'elle n'arrêtait pourtant pas de relire, mais au creux d'une de ces coquilles où l'on se cache de soi-même, et que lui avait offerte sa mère. Nouvelle pathétique, russe ou slave, pareil, qui vous fait sangloter depuis la première ligne sur le sort d'une mère veillant son fils irrémédiablement malade, et implorant Dieu de le sauver : longuement et en vain, comme il se doit, jusqu'à ce que l'idée lui vienne d'offrir audit Dieu sa propre vie, et que le sévère arbitre condescende alors à ressusciter le fils. *Le Sacrifice,* cela devait s'appeler *Le Sacrifice,* pas moins, et Gloria en prononçait le titre avec une innocence faste. Elle s'abîmait dans le mystère de ce conte qui, allez savoir pourquoi, lui paraissait d'une irrésistible et terrifiante beauté. Elle en buvait les mots, elle les répétait à ses parents troublés par tant de zèle, elle s'en abreuvait comme du jus fécond des coings distillant leur miel devant la fenêtre du mourant, dans le texte, et qui mûrissaient, impassibles, gorgés de la dévotion maternelle bien mieux que de la résurrection du fils... Sur son lit de mort, la vieille Mme Harrison, enfin adoucie et moins rationnelle que de coutume, n'avait pas oublié de le lui rappeler : « La fatalité te suit depuis l'enfance ; te souviens-tu que tu récitais *Le Sacrifice* par cœur ? Ton père s'inquiétait : une passion aussi exorbitante, il faut croire que tu étais promise à *ça*... »

Ça ? Tu parles d'une douleur ! La douleur ne convient désormais qu'aux romans du tiers monde, on en a assez, ici, ras le bol du piège victimaire, et Gloria se moque comme nous tous de la bonne vieille Madone qui se prend pour le Christ ! Elle est comme vous et moi, elle a envie de légèreté, lenteur ou vitesse, au choix, mais que ça passe ou que ça casse, un peu de grâce, fermez les rideaux des chambres obscures, zappez ! Politique, métaphysique, esthétique, aérobic ou robotique, n'importe quoi mais pas ça, pas de fières cicatrices, de dignités pâles, de poings moites fermés sur les mains malhabiles d'un enfant pas comme les autres et qui vous donne l'impression – une fausse impression – de tenir l'univers entier dans une larme invisible, ravalée. Pas *ça* ! Redresser le dos. Dire qu'il y a des gens qui n'imaginent pas combien il peut être difficile de se tenir droite ! Avoir des yeux grands ouverts et un peu abstraits qui étonnent, et jamais le moindre signe de fatigue. Rien que le souci des soucis de Jerry, qui se suspend au milieu du firmament comme une huître diamantine aux lèvres scellées, comme un couteau de plomb irradié par un soleil sans merci, sans avant ni après, l'immense instant d'une préoccupation résorbée, un bonheur qui, s'il existait, serait le deuil du malheur, presque une joie.

Tout *ça*, que Gloria ne savait pas formuler, mais seulement « agir ». Les chrétiens avaient raison, il n'y a de chance de rencontrer le divin, qui est le définitivement autre, qu'en se mesurant à l'enfant : en devenant sa mère, son père, son frère ou sa sœur, le tout-proche, l'incommensurable prochain de l'enfant-roi, du Divin Enfant. Tout le monde en est capable ? D'accord, mais tout le monde ne sait pas ce qu'il fait, et il est absolument nécessaire qu'un imprévu, une anomalie, un Jerry, par exemple, vous sorte de la torpeur des familles et vous rapproche de l'éclair.

Sauf que l'éclair accompagne la foudre, et personne ne pouvait se figurer la brutalité de Gloria lorsque la bêtise de Jerry la poussait à bout. Incapable de remords et de reproches, elle explosait. Soudain, le dévouement s'effondrait et une furie sortie d'on ne sait quelle tragédie antique s'abattait sur sa victime abasourdie. Jerry pliait sous les injures et les coups, définitivement aphone, hébété, coupable. Il savait qu'elle n'avait pas tort, la sorcière, qu'elle faisait tout pour lui mais qu'il était nul, qu'il n'y avait pas de limites à la connerie, la sienne, naturellement, qu'il méritait la mort tout autant que sa mère, parce que c'était d'elle que tout venait, du moins elle en était persuadée, et lui aussi par conséquent. Elle, tragédienne dans ses cris et ses larmes, lui, nauséeux et muet, pauvre proie impotente d'une rage implosive.

Aucun secours face à l'ouragan. Hester en était le seul témoin meurtri et impuissant, murée pour finir dans ce qu'elle ne savait trop si c'était de l'amour ou de la hargne envers la mère et le fils. Sitôt que l'enfant avait tenté de se plaindre à son père, Stan, excédé, lui avait fermé au nez la porte de l'atelier et l'avait envoyé coucher. Pauline était devenue la confidente précieuse et secrète. Non que la lente douceur de l'orthophoniste pût faire barrage à la noire possession de Gloria (du reste, jamais Jerry n'avait songé à exposer sa mère aux réprimandes de Mme Gadeau) ; mais, petit chien battu, il avait trouvé auprès d'elle une niche pour y lécher ses plaies après le passage de la bête. En attendant de nouveaux dévouements, de nouvelles férocités.

Que Gloria eût vécu *tout ça* comme un coup au cœur ou une prise à la gorge, je me mettais à sa place et étais prête à l'admettre. Mais, des mots aux choses, il existe normalement une distance qui, pour moi, surtout dans ce cas, demeurait infranchissable. Ce sentiment que tout le monde connaît plus ou moins et qu'on se formule banalement tous les jours ou presque (« Alors là, il [ou elle] m'a tué [e] ! ») ne pouvait se métamorphoser en une blessure à l'arme blanche et en une gorge tranchée par quelque obscur phénomène d'autoprojection émanant d'une femme souffrante. C'eût été là une incarnation spectaculaire défiant tous les stigmates et autres crucifixions connus dans l'histoire de l'art et des religions. Absurde ! Voilà à quoi on en arrivait quand on était une journaliste sensible, quand on prenait trop à cœur la douleur d'autrui, à commencer par celle des femmes, et quand on s'amusait à usurper le rôle déjà fort suspect de détective dans un foutu pays comme Santa Barbara.

Lundi 17 octobre, 16 h 55. Cela faisait déjà un bon moment que je rôdais dans la demeure glycinée des Harrison, sillonnant le parc, remontant sur la terrasse, m'approchant du cadavre et l'évitant, à l'affût de je ne sais quel indice ou souvenir. Goguenard, presque désagréable, enfin absorbé par les petites tracasseries de sa routine, le commissaire me laissait faire. La tache cramoisie qui souillait ce matin-là la robe de satin ivoire, à hauteur du sein gauche de Gloria, me paraissait maintenant bordeaux foncé, il n'en resterait bientôt qu'une croûte fanée virant au noir. La région du cou, en revanche, avec une obscénité qu'aucun de mes cauchemars n'avait jamais manifestée, exhibait toujours le même immonde trou béant bordé de peinture rouge. Tiepolo s'acharnant sur Jean-Baptiste à Bergame, ou le Caravage massacrant Holopherne, ne cherchaient au fond qu'à embellir la passion sanguinaire qui s'étalait, vrai de vrai, sous mes yeux. Le crime ne les révulsait pas, le crime, aussi bien qu'une pomme, leur était prétexte à proportions. Comme, pour un commissaire de police, un prétexte à hypothèses. Pas pour moi. Je jetai un dernier coup d'œil. L'horreur écarlate conférait aux bras et aux jambes cadavériques de ce qui, le samedi précédent, était encore une femme, cette lueur bronze qui émane toujours de Salomée dansant sur les mosaïques de Saint-Marc à Venise. Une méchanceté inéluctable, foncière, ricanait au cœur de la débâcle. Limite ! Il fallait que je parte. La dizaine de policiers de la Brigade criminelle qui prélevaient des empreintes et recueillaient le moindre cheveu traînant près de la femme assassinée se fichaient pas mal de ce que je croyais avoir été les infortunes de Gloria Harrison, autant que des miennes. Ils n'entraient que plus naturellement dans le tableau, comparses indifférents eux aussi, et déjà théâtraux. La brutalité maximale déréalise les êtres, et j'aurais beaucoup apprécié que Rilsky m'invitât au concert, ce soir-là : le Philharmonique de Santa Barbara, avec une pléiade d'illustres chanteurs, interprétait quelques extraits des opéras de Haydn, chefs-d'œuvre autrement irréels de cruauté légère. *Barbaro conte... Dell'amor mio fedele, Siam femine buonine...* Mais non, ce cher Northrop feignait de me compter parmi les suspects, ou en tout cas parmi les témoins, et jouait la réserve après m'avoir fourré le nez dans cette boucherie qui, après tout, ne me regardait pas. Ayant fait apposer les scellés sur la maison, il m'accompagna à la station de taxis la plus proche dans un silence de deuil. Je n'allais pas lui faire le cadeau de lui parler des danseuses décapitées de Degas, dont les somptueux volumes s'imposaient heureusement peu à peu à mon esprit, pour le soulager de ces drames de *Mater dolorosa* que je ressassais depuis des heures déjà et qui n'intéressaient personne. Et puis le commissaire n'appréciait pas les arts plastiques.

J'avais faim. Besoin d'une paix tiède et commune. D'aller prendre une tasse de thé.

II

Crime virtuel

1.

Mardi 18 octobre, 17 h 30. Attente, confrontation des témoins, interrogatoires. Rilsky ne se faisait aucune illusion, mais savait d'expérience qu'il n'est pas superflu d'entendre les dernières personnes à avoir vu la victime vivante. Les intimes ne manquent jamais de pensées sinon d'actes à se reprocher lorsqu'un des leurs succombe à une mort violente – même sans cela, du reste – et le spectacle de cette confusion révèle presque à coup sûr une culpabilité délicieusement verrouillée à l'âme humaine, que le commissaire traquait comme indice rudimentaire de la conscience tandis que nos modernes s'acharnent à la nier au nom d'on ne sait quelle laïcité mal comprise.

Tous les témoins attendaient dans le grand salon de Gloria. Rilsky tenait beaucoup à les interroger sur les lieux mêmes du crime. C'était en général la meilleure introduction à toute bonne enquête préliminaire.

Les scellés venaient d'être levés et la maison reprenait vaguement vie, comme un corps hébété d'un vomissement persistant après l'anesthésie. L'air poussiéreux et sec durcissait les narines, coupait le souffle. Le bouddha chinois que Gloria avait sauvé du bric-à-brac familial bronzait sur une commode victorienne, paupières baissées, par pudeur ou ironie, question de caractère ou de religion. Les tentures en taffetas vert moiré étaient croisées devant les fenêtres fermées contre la chaleur, sauf une qui béait sur la grappe de glycine dont personne ne percevait ce jour-là la délicatesse ni la senteur. Ornant le mur gauche, une gigantesque peinture de Stan, dans la manière des monstrueuses femelles de De Kooning, semblait se tenir sur ses gardes, comme réservant à chacun quelque surprise déplaisante. Impression absurde, naturellement : ce n'était que le cadavre de Gloria qui refluait dans l'esprit des convives.

Derrière ce même mur, dans le bureau de la maîtresse de maison, Rilsky avait disposé ses papiers sur la table en noisetier sculpté. La traductrice avait aimé caresser, le matin, ce bois frais et rassurant avant d'affronter le vide où s'amorce l'incertaine équivalence des mots lorsqu'ils glissent d'une langue à l'autre. Comme pour marquer qu'il prenait possession des lieux, le commissaire jeta négligemment sur le divan de velours bleu marine sa serviette bourrée de références plus ou moins inutiles, mais qu'il transportait toujours avec lui « à toutes fins utiles », puis – ultime signe de familiarité – le veston de son complet Cary Grant, et s'approcha de la fenêtre qu'il ouvrit avec précaution. Une abeille s'envola de l'oranger planté juste devant dans un énorme vase en terre cuite, sur la terrasse à colonnades, et partit vers l'aile gauche de la maison où se dressait la rotonde devenue « chambre d'amis ». Le commissaire scruta d'improbables traces de pneus sur le gravier, son regard suivit la pente jusqu'au petit bois borné par l'imperceptible miroitement de la Rivière, et s'arrêta aux glycines, un peu trop abondantes sur l'aile droite de la propriété, sans doute pour cacher la zone réservée au « service ». La présence angoissée des convives dans le salon lui faisait plaisir, tout compte fait. Il essuya lentement ses lunettes – geste trahissant chez lui une satisfaction dont il n'y avait pourtant pas lieu d'être fier –, jeta un coup d'œil aux Shakespeare, Thackeray et autres Browning dont les volumes reliés – les préférés de la défunte, apparemment – ornaient les rayonnages à hauteur des yeux, puis, empruntant le couloir vert, apparut enfin à la porte du salon. Naturellement, il commencerait par celui qui avait découvert le corps.

L'étudiant épileptique déballa ce qu'il avait déjà raconté à la police et ce que la police avait elle-même constaté en arrivant sur place après son appel. Choqué, certes – comment en eût-il été autrement ? –, Brian avait eu néanmoins la présence d'esprit de téléphoner au commissariat le plus proche. La Brigade criminelle dirigée par Rilsky avait été immédiatement saisie, elle cumulait à Santa Barbara les responsabilités de la section des homicides et du département d'enquêtes sur les abus sexuels. À l'évidence, c'était une affaire exorbitante, même pour ce pays qui ne manquait ni de crimes ni de scandales. Rilsky était donc l'homme de la situation. Il se fit un devoir d'écouter en tête à tête son premier témoin.

D'après ce qu'il savait, les épileptiques ont en commun avec les gens méticuleux de s'exprimer en style télégraphique : phrases allusives, fragiles, mais bombardées. Le récit de Brian confirma ce schéma. Porte-fenêtre ouverte sur le jardin, porte d'entrée verrouillée, la victime poignardée et décapitée ; plus question de rendez-vous de travail entre la traductrice et son assistant, un cauchemar, une seule pensée : appeler à l'aide. Le malaise de Wat, son élocution chaotique, ses propos hachés auraient pu éveiller les soupçons s'ils n'avaient témoigné de la réelle commotion du jeune homme, laissant présager l'imminence d'une crise comitiale qui devait d'ailleurs se produire peu après l'interrogatoire. Afin de ne pas s'exposer aux désagréables manœuvres de réanimation, Rilsky n'insista pas et se contenta des menus indices que l'étudiant voulut bien lui livrer, ainsi que des informations que les quatre brigadiers, sous la direction de Popov, avaient recueillies, corroborant l'emploi du temps avancé par le témoin.

Seul, avec la bonne, il avait passé la nuit dans la maison – il occupait la chambre d'amis, dans l'aile gauche du bâtiment, pour être à la disposition de Mme Harrison tant que durerait sa traduction des *Sonnets* de Shakespeare (travail de fond auquel était venue s'ajouter l'urgence d'une actualité éditoriale brûlante, *Le Sein,* un roman de Philippe Roth). Brian se sentait obligé de ne rien cacher de ses occupations depuis le fatal dîner : rendez-vous galant avec la bonne, grasse matinée jusqu'à midi le dimanche 16 octobre, déjeuner avec des amis, parties d'échecs avec les mêmes amis (confirmés par ceux-ci, de même que la suite), film à la cinémathèque (« Je ne raterai pour rien au monde la série Eisenstein qui passe de plus en plus rarement, vous le savez, monsieur le Commissaire, la télévision a tué le cinéma... »), dîner, boîte de nuit, retour vers 2 heures du matin, le lundi donc. La maison était plongée dans le noir, normal, tout le monde dormait à cette heure-là. « Au petit déjeuner, je ne prends qu'un café noir... Je le prépare moi-même dans ma chambre... à ma façon ; j'en ai besoin à différentes heures, pas question de déranger Hester pour ça... Je me présente à 9 heures à l'entrée principale, rue d'Angleterre, comme d'habitude. Je loge dans la rotonde, d'accord, mais je ne fais pas partie du personnel, vous comprenez. Un collaborateur extérieur... Comme Mme

Harrison, je tiens à garder mes distances. Je tenais... Elle se lève très tôt. Elle se levait... excusez-moi... et vers 9 heures... elle avait déjà abattu un boulot considérable : la maison, la bonne, les livraisons, les rendez-vous de Jerry... Parfois aussi quelques pages de traduction griffonnées au lit pendant ses insomnies... Bien sûr qu'elle en avait... une vie aussi stressée... Non, pas vraiment embêtante... ne haussait jamais le ton... le verbe toujours poli, prenant soin de me demander des nouvelles de ma santé avant qu'on ne se mette au travail... Mais autoritaire. Hyperponctuelle. Et exigeante, ça oui... Sans forcément le dire, on sent ces choses-là... Je crois pouvoir affirmer qu'elle m'appréciait... Enfin, il me semble... N'allez pas croire... Je sonne, donc. Personne. J'insiste. Aucun bruit. J'attends. Je re-sonne. Pas de réponse. Une urgence... une maladie... Jerry ? Je fais le tour de l'aile droite, côté cuisine ; Hester doit être au courant... Pas trace d'Hester... Je retourne rue d'Angleterre, jette un coup d'œil par la fenêtre : le carrelage domino, le hall froid et vide, normal, sinistre. Une barricade, vous avez remarqué ? J'ai dû faire deux ou trois fois l'aller-retour de l'entrée principale à la cuisine, côté jardin, comme un insecte qui va et vient, sentant l'orage. Enfin j'ai entendu... je l'entends encore... Un silence... Sans écho ni craquement, pas une feuille qui bouge... Le silence d'avant la conscience... lucide, absolu... imaginez-vous dans les neurones des bêtes... Je ne suis pas superstitieux, mais là... un pressentiment de cataclysme... J'avale ma salive. Contourne une dernière fois la maison... Passe dans le jardin intérieur, monte sur la terrasse... J'appelle, frappe à la porte-fenêtre du bureau. Personne. Je pousse les battants, ceux-ci, monsieur, mais de l'extérieur...

– De l'extérieur. (Rilsky, monocorde.)

– C'était ouvert. (Brian ne relève pas.) J'ai heurté quelque chose... oui... une présence inutile, encombrante...

– Avant d'entrer, une présence, dites-vous... (Rilsky, accompagnant son témoin.)

– L'air s'anime quand on panique, commissaire. Vous n'avez jamais vécu cela ? Tourbillons sans motifs, élans sans but... J'ai cru à une présence, oui. Mais c'était plutôt l'oranger, là, devant... C'est fou comme on peut se sentir agressé par ces fruits lourds, pas vraiment mûrs, d'un ocre qui verdit ou pourrit, vous voyez ?... Ces cultures contre nature... un arbre qui n'est pas à sa place se comporte comme un dégénéré... (Brian, pas vraiment pressé d'en venir au fait.)

– Plutôt l'oranger, donc ? (Rilsky, se méfiant du suspect.)

– J'aurais aimé vous y voir, vous qui arrivez toujours après la bataille, et bien sûr après les témoins ! Que vous ne lâchez plus, cette bonne blague, c'est moins fatigant que de chercher les vrais coupables ! (Brian se reprit, il avait peur de ses emportements soudains qui le mettaient vite hors de lui, ce n'était vraiment pas le moment)... J'en étais à la porte-fenêtre. Je pousse les battants et là, vous connaissez la suite. (Il était au bord de l'évanouissement). Je suis sûr que c'est Hester. Si non, pourquoi se serait-elle enfuie ? Elle ne s'entendait pas avec Mme Harrison, les derniers temps, elle me l'avait confié, elle la détestait même. Médiocre, jalouse, capable de tout, Hester...

Wat était à bout. Le commissaire appela un brigadier pour raccompagner le témoin et le rassurer.

C'était bien le genre d'affaire pour la section des homicides. Meurtre avec préméditation. Nul besoin du témoignage de l'étudiant pour s'en convaincre. Minutie du geste, application dans la mort : ce ne pouvait être que l'œuvre d'un psychopathe. Ou le fruit d'une ancienne, terrible et délirante rancune. Une passion folle, une folie chauffée à blanc, jusqu'à la précision chirurgicale. Mais, à part ça, crime sexuel ou crime de sang ? Commis par un proche ou par un détraqué passant par là ? L'enquête aussi est une passion chirurgicale.

Stéphanie Delacour patientait avec les autres. Mise en scène grotesque, songeait-elle. Elle ne supportait pas d'attendre. Attendre au lieu même de l'horreur, attendre avec l'horreur était d'un ridicule criminel. Même carrément nul, mélo. Northrop Rilsky avait convoqué les convives du samedi soir, tous sans exception. Il comptait les interroger un à un, puis peut-être tous ensemble. Dérisoire et inévitable formalité. Quelques-uns étaient arrivés en tenue de soirée, celle dans laquelle Gloria les avait vus pour la dernière fois, le samedi 15 octobre. C'était le cas dc Smirnoff, l'cndcuillé sincèrc, l'amourcux romantiquc, l'effondré. Odile aussi, dans sa robe rouge de perroquet vaporeux, sans doute moins par fidélité à la morte que par coquetterie, et pour montrer sa bonne volonté au commissaire : « Regardez-moi, monsieur l'inspecteur, je suis on ne peut plus décontractée, je n'ai rien à cacher. » Pauline Gadeau était égale à elle-même, c'est-à-dire invisible, du moins pour Stéphanie. Brian avait son visage blême des jours d'épilepsie et les yeux plus bouffis que jamais. Larry s'engouffra dans la pièce avec fracas, comme dans une salle de rédaction après l'annonce de la Troisième Guerre mondiale.

– Je voudrais bien savoir pourquoi on m'a dérangé, tout cela est stupide... ce cirque, je veux dire ! Mais quelle horreur, quelle horreur, ma chère Stéphanie !

Vous croyez que tout est prévisible, de nos jours, couru d'avance, eh bien non, l'horreur nous surprendra toujours... Et la lenteur de la police. Que fait ce sacré Northrop ? Il perd son temps, une fois de plus, vous ne trouvez pas, et le nôtre avec !

Il n'osa pas l'embrasser, se borna à la serrer dans ses bras un peu plus mollement, un peu plus lâchement que d'habitude, chercha son regard, ne le trouva pas, s'assit, se releva, arpenta le tapis à grandes enjambées de lion en cage, parfait séducteur dans un film de série B.

– J'ai déjà entendu M. Brian Wat. Il nous manque encore Mlle Hester Bellini. Nous ne tarderons pas à la retrouver, c'est comme si c'était fait. (Rilsky, rictus énigmatique et déjà triomphant.) Si nous enchaînions avec M. Pascal Allart ? Voulez-vous me suivre, monsieur ?

De nouveau l'attente. Douée pour la douleur comme d'autres le sont pour la musique ou pour l'amour, Stéphanie la cultivait avec une pudeur qui la travestissait en gaieté, parfois en insolence. Avec ses cheveux noirs coupés au carré et ses pommettes chinoises, elle avait l'air d'une moniale asiatique tandis que ses yeux pers aspergeaient d'ironie tout ce qu'elle approchait. Sa veste bleu roi galonnée à boutons dorés ajoutait une touche d'élégance un peu militaire – ou tout simplement ultrasophistiquée – à la jupe noire qui laissait voir ses longues jambes aux mollets rebondis de gymnaste.

L'excès de lumière bleue qui nourrit les après-midi d'automne et la senteur maritime répandue dans l'air de Santa Barbara dilataient son visage, lui donnant l'air de sourire. Elle aurait pu chanter, elle aurait dû faire résonner la *symphonie Haffner* de Mozart, par exemple. La fierté est en ré majeur quand elle choisit de faire entendre le détachement absolu, toute désolation résorbée. Mais fredonner eût paru incongru dans ce salon que saturaient de peur les convives du samedi. Elle se contenta de fermer la baie grande ouverte sur le jardin, les yeux guidés par ce que personne ne soupçonnait être de la douleur, rien qu'une professionnelle et malsaine curiosité.

Comme dans un rêve où le dormeur se sent épouser les contours d'un nouveau lit, les volumes d'une chambre qu'il ne connaît que de la veille, les visages et gestes d'hôtes qu'il n'a découverts qu'alors, les secrets d'un paysage qui se creuse sous la lune à moins que ce ne soit déjà l'aube, peut-être même le plein midi, de sorte que cette nouveauté se diffuse tout entière en lui et l'abolit dans une redoutable osmose, Stéphanie se trouvait comme annulée par la demeure des Harrison et par cette nuit iodée qui s'apprêtait à descendre pour parer à la laide banalité des gens et des choses. Certes, le confort du vieux home anglais et cet été indien favorisaient l'état d'abandon et la porosité du moi, mais le crime imposait à tous les détails de sa présence. À travers le labyrinthe acajou et satiné de la maison, dans les senteurs de cet automne blet, le cadavre mutilé de Gloria s'emparait de Stéphanie, les scènes encore invisibles mais mystérieusement présentes du carnage la souillaient, l'entraînaient aux racines de l'abjection. Ce qui se déroulait en ce moment même à l'extérieur, dans le salon, et dans le bureau de Gloria, devenu plutôt celui de Rilsky, n'était qu'anecdotique.

– Je suis sûr que c'est Hester... Je l'ai vue dans la nuit, enfin, elle est venue me retrouver dans ma chambre après le dîner. Ensuite, elle est montée chez elle... dans le studio de service... sous les combles... Ce qui veut dire qu'elles sont restées toutes les deux, seules dans cette partie de la maison, Mme Harrison et

Hester, vous me suivez, c'est incontestable... Et voilà qu'elle a fichu le camp avec la voiture... Elle ne m'a pas ouvert, ce matin, quand j'ai sonné à la porte de Mme Harrison pour notre réunion de travail... vous savez... la traduction des *Sonnets*... J'ai dû entrer par le jardin... la porte-fenêtre était ouverte... et là, je l'ai vue... enfin, j'ai vu le corps... mais pas Hester... N'est-ce pas étrange ? (Brian se détendait à côté de Stéphanie sur un fauteuil de velours noir. Débarrassé du commissaire, du moins pour le moment, il bredouillait en s'adressant à tout le monde et à personne.)

– C'est la tête de Gloria qui manque, mon petit, pas celle d'Hester. (Odile ne pouvait s'empêcher de faire de l'esprit, quelles que fussent les circonstances.)

– Mais c'est du criminel que je vous parle, de *la* criminelle, même !... Si ce n'est pas une piste, je ne sais pas ce que c'est... Ça crève les yeux, voyons ! (Brian.)

– J'ai cru comprendre que vous l'aimiez bien – je parle d'Hester, cette fois-ci, vous me suivez ? (Odile, toujours survoltée.)

– Et si nous laissions Rilsky faire son boulot ? (Zorine, raisonnable.)

– Moi, je veux bien, cher Maître, mais quel gâchis, quelle perte de temps !... Alors que nous sommes bien au cœur de l'horreur, c'est-à-dire de Santa Barbara, et je vous fiche mon billet qu'il y a là-dessous une affaire politique qui dépasse largement les compétences de notre brave Northrop. (Larry, de plus en plus à l'aise dans son rôle de journaliste-justicier, une spécialité locale, voire mondiale par ces temps de crise et de vacance du pouvoir politique, comme dit la presse.)

Attente. L'air roussit pour annoncer un crépuscule qui tarde. Odeurs mêlées d'épices, de roses et de poussière. Stéphanie n'aime pas attendre, son cerveau s'accélère ; un merle crie dans les frondaisons, dehors. Exaspérant. Ses paumes ruissellent d'une angoisse moite, ses yeux ne distinguent plus personne dans le salon transformé en salle d'attente, toutes les figures s'estompent, rêve décoloré.

2.

Tandis que les régimes de tous bords qui se succédaient à Santa Barbara s'évertuaient à contourner les lois ou à les amender pour les adapter à un nouvel ordre mondial de plus en plus insaisissable et mafieux, Rilsky était censé trancher, dans des situations fort concrètes et souvent horribles, pour le Bien contre le Mal au nom de la Vérité. Le paradoxe de la situation, chaque fois intenable, aurait dû le déprimer, voire le rendre cynique. Cependant, à cinquante-sept ans, dont trente ans de loyaux services dans la police, il reconnaissait volontiers, quoique en secret, avoir été tenté tour à tour par les deux issues, tout en se félicitant d'avoir très tôt choisi son rôle. Un rôle qui le mettait précisément à l'abri de ces pentes faciles, si contraires à ses goûts. Il s'agissait bien d'un rôle, soutenu par ses inclinations naturelles, mais sereinement composé et cultivé. Tout le monde prend des attitudes, des poses, des masques et autres *looks,* dans ce monde de faux-semblants où le « vrai » se dissipe dans la vapeur des images zappées et où l'« authentique » est une prétention qui ne résiste pas une seconde aux spéculations boursières ni aux renvois judiciaires. Rilsky ne cherchait pas à se draper dans le rôle de celui qui stigmatise les preneurs de rôles. Mais, de son père, chef d'orchestre au Philharmonique de Bourgas, la deuxième ville de Santa Barbara, et de sa mère, professeur de piano, ce mélomane avait hérité le sens de la mesure. Faute de talents particuliers, il s'était retrouvé, tout jeune, facilement dégoûté du monde et doué d'une capacité de solitude assez rare dans ce pays où la promiscuité – rebaptisée convivialité – est une vertu naturelle. Il fit par conséquent des études de droit avant de s'engager dans la police. Le crime lui paraissait répugnant, donc fondamental, la brutalité inévitable et la fausseté, à esquiver à tout prix. Il croyait pourtant que l'existence avait un but, qui n'était certes pas de servir les hommes, comme le proclamaient les vieux humanistes, mais d'acquérir une juste perception de l'humanité. Il se considérait en cela, non sans raison, comme un humaniste esthète, et d'ailleurs ne supportait la communauté de ses semblables qu'aimantée par l'écoute admirative d'un chef-d'œuvre. Peut-être même que cette osmose seule procurait à Rilsky quelque bonheur dans sa vie balisée et surveillée d'officier de police. Il s'était néanmoins plongé avec élégance dans l'horreur et, malgré la réticence de ses chefs qui le trouvaient trop sophistiqué pour cet emploi, peut-être même prétentieux, il avait su faire preuve de bon sens, obtenu les promotions attendues et gravi les échelons nécessaires.

Sa mise soignée lui donnait l'apparence d'un snob égaré parmi les brutes. Elle le protégeait en fait de leur proximité envahissante : le souci de soi fait toujours peur au vulgaire. Même si certains moquaient cette élégance qu'ils qualifiaient d'obsessionnelle ou de ringarde, en définitive, un veston bien coupé et une cravate chic savent tenir en respect la bête humaine. Rilsky affichait ainsi à sa manière son attachement aux conventions, ce qui, dans le contexte du temps, signifiait tout simplement à la loi et à la morale. Puisque personne ne savait plus ce que *ça* voulait dire, il suffisait que le commissaire parût pour qu'on admît que *ça* existait tout de même, et qu'on l'avait rencontré.

La musique, quant à elle, met en mesure les sentiments. Le sublime, la grâce, toutes ces merveilles qui justifient l'humanité, qu'est-ce d'autre, sinon sentir en mesure, s'émouvoir en mesure ? Les hommes et les femmes, bien entendu, ne peuvent aller au-delà, mais cela suffit. C'est même déjà énorme, quand on y pense, que quelques-uns y soient parvenus. Les génies : Bach, Vivaldi... Mais aussi les virtuoses : Paganini, Menuhin... Entre autres... D'accord, la mesure n'efface pas le crime, pas plus qu'elle ne l'innocente, mais elle laisse augurer d'attitudes mesurées face aux criminels, c'est-à-dire face à tout le monde. N'est-ce pas là ce qu'on appelle une civilisation ? D'où le rôle en un sens très spécial de la musique, estimait le commissaire lorsqu'il s'abandonnait à ses méditations en compagnie de son amie Stéphanie Delacour. Un rôle pédagogique : écouter ensemble, écouter en compagnie de quelques personnes, si possible choisies, sensibles, à la fois heurtées et mesurées, comme lui ou Stéphanie. En fait, lorsque la juste mesure s'ajoute à la nausée, loin de l'annuler, elle la filtre en émotion exquise, en extrait une certaine joie. La seule qui vaille. Nauséeux et mélomane, Northrop était secrètement un sartrien, mais distingué et fier de l'être, même si nul ne s'en doutait à Santa Barbara où l'on n'avait jamais apprécié l'existentialisme. Seule Mlle Delacour, lors de ses trop brèves visites, et si elle l'accompagnait à un concert, gratifiait le commissaire de fines allusions à son intime complicité avec ce qui lui semblait constituer le fond méconnu du grand philosophe français. À ces moments-là, il sortait un carré de soie grise, essuyait lentement les verres épais de ses lunettes et laissait ses yeux ahuris s'embuer d'un plaisir enfin autorisé, doublé d'une sournoise vengeance.

À partir de cette composition vestimentaire et comportementale, il ne lui restait qu'à essayer tout simplement d'être juste. Trouver le véritable auteur d'un meurtre, d'un viol, d'un trafic de drogue, et faire admettre sa découverte aux institutions existantes, dans la mesure du possible. Il ne se battait pas contre les moulins à vent de Santa Barbara, et son sens des réalités lui dictait parfois de renoncer à punir. Une esquive qui le faisait passer auprès de Stéphanie pour un étourdi, un faible qui ne décèle pas toute l'ampleur du Mal, un paresseux qui ne milite pas suffisamment pour le dénoncer. Étourdi, il ne l'était qu'en partie, surtout lorsque la putréfaction d'un cadavre ou le corps d'un enfant violé venaient le replonger dans ces haut-le-cœur qu'il avait subis, adolescent, au contact de la peau du lait ou à la vue de la cuvette des W.-C. dont son père oubliait toujours de tirer la chasse, états qu'il croyait à tort avoir fini par surmonter. En réalité, le véritable paradoxe de Rilsky consistait à vouloir concilier son goût de la justesse (« au sens musical du terme », insistait-il auprès de Stéphanie), lequel était sans concession, et l'impossibilité de l'appliquer dans le brouhaha d'une société qui n'en voulait pas. Il prenait le parti des victimes sans misérabilisme, incarnait la loi quand personne n'en était plus capable, mais ne s'exposait ni à l'inaction ni aux représailles des autorités gouvernementales dont nul n'ignorait plus combien elles étaient devenues corruptibles. Un saint fourvoyé chez les voyous, qui savait composer avec leurs combines, quitte à passer pour un gogo, mais à condition de rester juste. Bref, les résultats de ses enquêtes étaient probants, mais en rien spectaculaires. En conséquence, Rilsky avait appris à se priver du plaisir béat qu'un gros titre dans les journaux procure aux braves gens. C'était même sa force, car il n'était pas sans savourer cette obscurité avec une certaine malice.

– Voulez-vous me suivre, monsieur Allart ? (Rilsky fut obligé de répéter son invitation car Pascal, non moins troublé que les autres convives sous ses airs de P.-D. G. à la conquête de marchés faciles, semblait impressionné par les révélations de Wat et se laissait aller à imaginer dans un ricanement malsain le scénario de la patronne étranglée par sa bonne.)

Pour sa part, il n'avait, vous pensez ! rien à craindre, et il tenait à remercier d'avance le commissaire qui, en homme raisonnable, se convaincrait sans mal, il en était sûr, de la solidité sans faille de son alibi. Pascal Allart avait quitté la maison de Gloria vers minuit et quart en compagnie de sa femme, Odile, pour rejoindre, sur la côte, un hôtel où ils étaient descendus pour la durée de leur séjour à Santa Barbara. Le portier des Sables d'or confirmerait l'arrivée du couple vers une heure et demie du matin, dans la nuit du samedi au dimanche. Ce qui excluait toute possibilité d'accès à la personne et même au cadavre de Gloria, à supposer qu'ils aient eu le moindre motif de s'attaquer à cette amie de longue date : hypothèse absurde, le commissaire en conviendrait aisément lui-même. Quant au dimanche, dès 10 heures du matin Pascal et Odile avaient été littéralement happés par le tourbillon de leurs rendez-vous d'affaires, tous plus importants les uns que les autres, avec des représentants des industries locales désireux de rendre leur séjour le plus agréable et le plus fructueux possible. Odile n'avait même pas eu une seconde pour appeler Gloria et la remercier de l'exquise soirée de la veille, ce qu'elle se proposait justement de faire après le week-end, si ces événements tragiques n'étaient pas venus tout bouleverser.

– Car je vous le jure, monsieur le Commissaire, même un homme comme moi, pas sentimental pour un sou et endurci par les affaires, comme on dit, eh bien, je suis terrifié par cette atrocité. Barbare, cela va sans dire, mais, qui plus est, imprévisible, inimaginable.

– Vous avez bien connu Mme Harrison. (Rilsky, le nez dans ses dossiers.)

– Ah, vous êtes au courant. Et alors ? Vieille histoire. Qu'est-ce que ça prouve ? Au contraire, raison de plus pour avoir conservé de la tendresse pour elle. Un peu d'amertume, peut-être, et encore. Mais ça ! Vous voyez un homme normal faisant ça ? (Pascal coula un regard trouble, nuance grandes marées, en direction de Rilsky, sans expression.)

– La jalousie... (Rilsky, têtu, à moins que ce ne fût impitoyable.)

– Connais pas. J'aime les femmes comme d'autres aiment le whisky, mais je ne m'énerve que pour mes contrats. Ça marche bien, d'ailleurs, à Santa Barbara. Tous corrompus, paraît-il, mais en quoi ça me regarde ? La mafia ne fait pas la différence entre l'Est et l'Ouest, le Nord et le Sud, et je connais plus d'un député du Vieux Continent qui est un escroc, je ne vous apprendrai rien. Alors, j'impose mes conditions. Leurs matières premières m'intéressent : excellentes essences, pas assez raffinées, mais quel corps, quelle intensité ! Eh bien, nous raffinons, et les grands parfumeurs français en raffoleront, sans parler de l'industrie pharmaceutique, c'est moi qui vous le dis ! (Allart, pétillant.)

– Si nous parlions de Gloria Harrison ? Vous avez passé la nuit avec votre épouse ? (Rilsky, toujours absorbé par ses dossiers.)

– Le moyen de faire autrement ? (Allart, sans se laisser désarçonner, mais le débit un peu ralenti, à ce qu'il parut au commissaire.)

– Madame Allart n'apprécie que modérément votre faible pour son amie Gloria, dirait-on. (Rilsky, naturel comme un météorologiste.)

– Du passé, tout cela. (Pascal, détendu.)

– Un passé toujours frais, remontant au dîner de samedi. (Rilsky, levant les yeux du rapport laconique mais non dépourvu d'intérêt que venait de lui faxer son adjoint.)

Popov connaissait Les Sables d'or comme sa poche, en particulier la standardiste, une blonde à la croupe pleine et au cerveau étroit, son genre préféré. Rien de mieux pour apprendre à peu de frais, non sans plaisir, tous les petits secrets des clients d'un des hôtels les plus luxueux de la côte : contacts occultes, transactions louches, filières remontant jusqu'aux cabinets ministériels ou chez les barons de l'industrie locale, tous soucieux de se brancher sur les réseaux internationaux de l'argent facile et du recyclage, de la drogue et des ventes d'armes. Les dossiers accumulés grâce aux soins de la chaleureuse Nora dormaient, le plus souvent inutilisés, dans les coffres-forts de la Brigade criminelle et Rilsky se contentait de les caresser d'un regard d'expert, ne sachant trop s'il devait regretter de ne pas s'en servir (personne n'avait intérêt à connaître la vérité) ou jubiler à l'idée du pouvoir hypothétique et néanmoins majeur qui dormait là entre ses mains (au vu de la Morale et de la Transcendance qui, toutes deux, comptaient encore peu d'adeptes dans ce pays).

Le commissaire connaissait la méthode de son lieutenant. Elle ne variait jamais : après deux whiskies et un coup d'œil circulaire au bar pour repérer toujours les mêmes visages émaciés dont les yeux vides trahissaient non pas l'ascèse spirituelle ou sportive mais l'abus de cocaïne, Popov filait rejoindre sa plantureuse messagère qu'il lui suffisait de satisfaire pour qu'elle lâchât ses informations. Comme il ne faisait qu'à demi confiance à sa mémoire dans ces situations où il mélangeait travail et plaisir, le lieutenant répétait devant un dictaphone l'essentiel du message, cependant que sa complice finissait sa part de travail en le suçant. De retour chez lui, au calme, il décryptait la bande.

C'était son dernier rapport que Rilsky était en train de parcourir.

Ainsi donc, Allart avait reçu divers appels de parfumeurs locaux liés à des laboratoires clandestins de raffinage de drogue, et il les avait rappelés lui-même, tôt le dimanche matin, pour confirmer leur déjeuner de midi. Il avait aussi appelé son agence de location de voitures pour demander le kilométrage de celle qu'il avait louée ; on l'avait renvoyé au garage d'entretien. Mme Allart avait découché « avec Daniel, le maître d'hôtel, s'était indignée Nora ; je me demande ce qu'il lui trouve, elle est plate comme une limande ». M. Allart avait essayé avec elle, Nora, « mais sans succès, mon poulet ». Peut-être aussi sans conviction, s'était dit Popov en réclamant la suite. Nora crut alors intéressant de lui faire remarquer que le *room service* avait été surpris de voir M. Allart presque nu se lever pour réceptionner le plateau du petit déjeuner. Popov avait reboutonné sa braguette et fermé son calepin pour aller encore faire un tour dans la salle de jeu dont Nora, hélas, ne connaissait pas les arcanes, pauvre petite chose incapable de réciter sa table de multiplication. Oui, Pascal Allart s'y était rendu seul vers 3 heures du matin, l'air énervé, il avait joué, mal, avait tout perdu et était reparti de fort mauvaise humeur. « Fin du rapport : débrouillez-vous, monsieur le commissaire. »

Popov n'avait pas à donner son avis, 'nutile-de-le-dire, mais tout indiquait que, côté Allart, pour véreux et foireux que fût le bonhomme, il ne semblait pas impliqué dans la décapitation. Encore que... Popov avait vérifié à tout hasard les horaires nocturnes des époux Allart égrenés par Nora et s'était rendu à la station-service où on lui avait confirmé la curiosité pour le moins inhabituelle de M. Allart qui avait téléphoné pour demander le kilométrage de sa voiture au moment du dernier plein d'essencc. « Jc nc m'en souvenais pas, lieutenant. Si on devait noter le kilométrage de chaque véhicule à chaque plein d'essence, on n'en sortirait plus. Ils ont roulé à travers tout le pays depuis une semaine : kilométrage illimité, justement. L'agence pourra vous fournir le kilométrage de départ. Après, c'est son affaire ou celle de sa bonne femme, pas la nôtre. » En effet.

Les nouvelles allaient vite à Santa Barbara, et les malfrats n'avaient nul besoin de signes de reconnaissance entre eux. Restait l'essentiel. Et l'essentiel, pour Popov, c'était sa femme et ses enfants, 'nutile-de-le-dire. Rilsky ne pouvait que l'approuver. Tous deux avaient le goût du travail bien fait, voilà ce que Nora comprenait à sa façon, et le lieutenant lui savait gré de l'aider à boucler en moins de deux heures un rapport que le fax transmettrait aussitôt au secrétariat du Patron. Lequel patron, pour l'heure, se tenait face à Pascal Allart dans ce qui avait été le bureau de Gloria, lisant entre les lignes du rapport de Popov tout ce qu'il voulait savoir de son vis-à-vis qui n'en savait rien.

– Ça ne vous regarde pas, Commissaire. La vie privée, ça n'existe pas pour vous ? La question ne se pose peut-être pas à Santa Barbara, d'accord. Mais n'oubliez pas que vous parlez à un Français. (Pascal, en train de perdre son flegme.)

– À ce propos, il paraît que les Françaises sont jalouses ! (Rilsky, espiègle.)

– C'est cet imbécile de Brian qui vous a servi les ragots du dîner. Et alors ? Je le répète : qu'est-ce que ça prouve ? (Pascal, carrément fâché.)

– Ainsi donc, vous n'avez pas quitté Mme Allart avant 10 heures du matin, le dimanche 16 ? (Rilsky, aigre et frais comme un bouquet de giroflées.)

– J'avais commandé le petit déjeuner à 9 heures et il nous a été monté comme d'habitude dans les hôtels les plus chers de votre cher pays – je préfère ne pas penser à ce qu'il doit en être dans les autres – avec une demi-heure de retard. (Pascal, aussi banal que possible.)

– Vous avez ouvert vous-même la porte à l'employée, vous avez pris le plateau, personne n'a pu vérifier si Mme Allart était ou non dans la chambre. (Rilsky, la civilité personnifiée.)

– Vous croyez que je prête attention à ces détails ? Il m'arrive de me lever pour ouvrir la porte aux employés, comme il m'arrive de rester au lit. Ça ne prouve rien. Quant au personnel qui travaille pour les flics, je comprends que je le déçoive. Avec moi, ils n'ont pas grand-chose à se mettre sous la dent. À part les pourboires, et Dieu sait que je ne lésine pas sur les pourboires ! (Pascal, plutôt détaché.)

– Et si je vous disais que votre femme vous a fait une scène dès votre retour aux Sables d'or ? Qu'elle a quitté la chambre ? Vous ne l'avez pas revue avant le déjeuner de dimanche – très agréable, d'ailleurs – avec les hommes d'affaires les plus en vue de ce pays, et qu'Odile Allart n'aurait raté pour rien au monde ? (Rilsky, le plus bêtement du monde.)

Pascal changea subitement de masque. Il n'était ni indifférent ni indigné. Il adopta le style, très cinématographique, d'« homme à homme » :

– Vous n'ignorez pas, cher ami – vous permettez que je vous appelle « cher ami » ? – que les couples modernes, du moins chez nous, sont très indépendants, tout en restant solidaires et parfois même passionnés. Oh, je sais, chez vous, c'est ou l'idylle ou le drame. Eh bien, nous, nous cultivons la nuance, voyez-vous, et ce, depuis des siècles : une spécialité française, en quelque sorte. Odile tient beaucoup à moi, soyez-en sûr, mais elle a besoin de me montrer – et de se montrer – qu'elle est une femme moderne. Un point c'est tout. (Pascal, dissimulant une vague inquiétude.)

– Elle aurait fort bien pu retourner chez les Harrison pendant que vous dormiez tout seul dans votre chambre. Une fois n'est pas coutume, et je ne vous sous-estime nullement, *cher ami,* si vous y tenez. On peut se sentir soulagé, pour une nuit, de ne pas entendre les cris de sa femme, foi de célibataire ! (Rilsky, très à l'aise dans le jeu d'« homme à homme ».)

– ... (Pascal, décidé à s'en tenir là.)

– ... (Rilsky, désireux de tester à fond la piste.)

– J'y ai pensé, figurez-vous. Sans trop y croire, mais sait-on jamais ? C'est non, Commissaire. Odile est impulsive, peut-être, mais incapable d'agir. Sans parler de tuer ! Elle n'aurait même pas été fichue de reprendre la voiture pour conduire à l'aller et au retour. Trop paresseuse. Un de ses charmes, je me comprends. (Pascal, chevaleresque et attendri.)

– Vous avez même vérifié le compteur de la voiture de location avant de vous rendre à ma convocation. (Rilsky, *matter of fact*.)

– Je suspecte ma femme, d'après vous ? C'est plus fort que vous ! Mais il n'y a aucune raison, je vous l'ai déjà dit. (Pascal, toujours grand seigneur.)

– Malheureusement, impossible de vous rappeler le chiffre au compteur, la veille. Vous avez essayé d'interroger le pompiste, qui n'a pu vous en dire plus. (Rilsky, les yeux toujours baissés sur le compte rendu du lieutenant Popov.)

– Vos histoires de flics puent la paranoïa inhérente à votre profession, et à votre pays, et à votre ville ! Je commence à m'y connaître, moi aussi. Rien à ajouter. Non mais, je rêve ! Le garagiste ? Simple vérification. Aucun rapport avec le crime. (Pascal, se demandant *in petto* si le moment n'était pas venu d'appeler son avocat.)

– Peut-être avez-vous raison. Je vous tiendrai au courant des suites de l'enquête. Entre-temps, je vous serais reconnaissant de rester à la disposition de mes hommes. Ce qui signifie que vous ne devez pas quitter le territoire. À bientôt, monsieur. (Rilsky, affable.)

– Vous faites fausse route ! Mais j'ai des choses à faire à Santa Barbara et que cela vous plaise ou non, j'y suis, j'y reste ! (Pascal, se retenant de claquer la porte.)

Rilsky se délectait du malaise de ses témoins. Il le laissait monter jusqu'à ce que le cobaye sortît de ses gonds, révélant par là son manque d'éducation et son absence de goût. Le commissaire jouissait ainsi non sans miséricorde de sa supériorité personnelle sur la masse médiocre des autres humains. D'autant que, dans ce cas précis, M. Allart n'avait aucune raison objective de s'inquiéter. Mme Allart avait passé la nuit avec le maître d'hôtel des Sables d'or, un solide gaillard dont les performances faisaient l'unanimité parmi les touristes étrangères. Toutefois, M. Allart avait des raisons éminemment subjectives de prêter à sa femme des pulsions criminelles. Cette dernière hypothèse lui plaisait davantage que le tristement banal adultère dont il était (dont ils étaient) coutumier(s). Ainsi va la misère des hommes. Quel rapport avec la décapitation de Gloria Harrison ? Aucun ? Un certain rapport, si on y réfléchissait bien, mais fort éloigné et encore obscur, de toute façon, dans l'esprit du commissaire lui-même. Si ce n'était que la misère en question pouvait aussi bien revêtir des formes abjectes que s'enliser dans l'insignifiance. Tout le problème était là.

Rilsky prit une gorgée de Schweppes *light*, épousseta son pantalon anthracite à rayures grises, jeta un coup d'œil à son reflet, qu'il jugea satisfaisant, dans la vitre de la bibliothèque, à gauche du bureau de Gloria qu'il s'était provisoirement approprié, et fit entrer Larry Smirnoff.

3.

« Je suis raciste, ironisait Northrop Rilsky, et, croyez-moi, j'en ai honte, mais c'est plus fort que moi, je n'y peux rien. D'ailleurs, la génétique est en train de démontrer que ces sentiments-là sont innés. »

Et de couper court à la curiosité de ceux qui auraient voulu en savoir davantage sur la science en question :

« Certains sont antisémites, d'autres haïssent les Arabes ou les Noirs. Moi, j'ai horreur des journalistes. Tous des curés, des curés d'aujourd'hui : ils en savent assez pour tout manipuler, mais pas suffisamment pour être dans le vrai. »

Rendons-lui justice, il était capable d'aller au-delà de cette boutade, car en société on est toujours forcé de se justifier, et il le pouvait. Il soutenait, entre autres, que les journalistes constituent une forme de pouvoir absolu, qu'ils tiennent les commandes de la politique et de l'économie dont tout le reste découle, que ce phénomène est spécifique à notre civilisation (si on peut encore appeler ça une civilisation) et que, si la religion avait jadis constitué une puissance suprême, elle était toujours restée dans une certaine mesure occulte – occulte et surtout morale, malgré des distorsions et des exceptions notoires –, alors que les journalistes d'aujourd'hui triomphaient, couvrant le plus de surface visible possible, que ce soit sur les ondes, à la télévision ou dans les dîners. Et même dans les « rayons livres » des hypermarchés où leurs ouvrages (si on pouvait encore appeler ça des ouvrages) occupaient un nombre considérable de mètres linéaires. Voilà pourquoi le commissaire professait que l'humanité n'avait jamais connu l'arbitraire que faisait régner la secte médiatique, laquelle n'avait même pas la pudeur de se cacher, et pour cause, puisqu'elle tenait par définition le haut du pavé dans l'ordre de la visibilité. Sans compter qu'elle n'était soumise à aucune autorité supérieure, mais aux fluctuations du pouvoir de séduction qu'elle était capable d'exercer sur une opinion et des groupes de pression eux-mêmes dépendants des contagions médiatiques, autant dire de l'exploitation des plus bas instincts où se conjoignent inaptitude à la vérité et aptitude au crime. « Vous voulez des exemples ? (Rilsky persiflait.) "- Mesdames et messieurs, nous sommes en direct du Rwanda. Plusieurs centaines de milliers de morts. Un avion chargé d'aide humanitaire est arrivé ce matin. Pour le moment, seuls les journalistes ont débarqué. (Gros plan sur les journalistes.) Ici l'envoyé spécial de CNN, John Smith, je vous parle en direct du Rwanda pour le Journal de 20 heures..." *No comment.* Cela ne vous suffit pas ? Écoutez encore ça : "Mesdames et messieurs, nous venons d'arriver sur les lieux du crime. Seuls les journalistes ont été autorisés à pénétrer dans le périmètre de sécurité. Il n'y a pas encore de victime et encore moins d'assassin. Le crime devrait se produire d'un moment à l'autre. Les journalistes sont sur place. (Gros plan sur les journalistes.) Ici Marie Dupont, en direct de Santa Barbara pour le Journal de 20 heures..." Vous avez entendu ?

Je sais bien que vous avez regardé, mais vous avez entendu ? Voilà. Nous avons atteint ce qui est pour le mieux et qui n'arrive que dans le meilleur des mondes possibles. Vous ne voyez pas ce que c'est ? Je vais vous le dire : les journalistes parlent des journalistes aux journalistes. Pour leur dire quoi ? Tout, rien, n'importe quoi, aucune importance, pourvu que ça fasse un papier, une image, un clip. On peut même aller jusqu'à dire, on doit même aller jusqu'à dire combien elle est horrible, la société du spectacle. Ça, c'est une idée de journalistes qui plaît aux journalistes, lesquels se plaisent à faire du spectacle, lequel se dénonce lui-même en passant, et passe outre... Oui, les journalistes parlent des journalistes aux journalistes. Sommes-nous tous des journalistes ? Pas encore, pas tous, pas tous aussi célèbres que nous le voudrions, il y en aura toujours qui y arriveront mieux que les autres. Mais nous ne rêvons que de cela : comment en être ? comment occuper, ne serait-ce qu'un instant, le petit écran, ou, au pire, quelques lignes dans un quotidien, dans le meilleur des mondes possibles où les messages parlent des messages, où les images transmettent des images... »

Le commissaire, qui n'oubliait pas son humanisme foncier, quoique sceptique, était prêt à concéder que l'information pouvait être profitable à la démocratie *dans certaines circonstances*. D'autre part, son racisme anti-journalistes disparaissait complètement face à certains spécimens – Stéphanie Delacour, par exemple – pour céder la place à un sentiment qui inclinait vers l'amitié. Exception qui confirmait la règle et démontrait tout simplement que les liens individuels sont les seuls authentiques, eux aussi génétiquement déterminés comme le démontraient une fois encore les plus récentes avancées de la science.

Sans même lui dire bonjour, comme s'il l'avait déjà assez vu, le directeur du *Matin*, surexcité et quelque peu somnambulique, avait repris – ou continuait – leur sempiternel débat :

– Je sais déjà ce que vous pensez des journalistes, Northrop. Pure jalousie ! Allons, allons, vous avez peur de perdre votre pouvoir à vous, car, en définitive, nous faisons le même métier, vous, les flics, et nous, les médias. Mais si, mais si ! Sauf que nous, nous sommes obligés de prendre des gants et que, très souvent, nous sommes sur les lieux avant que le crime n'ait été commis. Alors que vous, vous arrivez toujours trop tard, mais vous prétendez établir la Vérité majuscule. Et, par-dessus le marché, vous la voulez simple, nom de Dieu : voici la victime, voilà le coupable, messieurs et mesdames les jurés, à vous de juger. Tu parles ! Votre jugement est fait d'avance et vous vous payez le luxe de regarder de haut les hésitations et atermoiements de nos misérables institutions juridiques, sans parler de votre aristocratique mépris pour l'opinion, toutes incapables d'objectivité, bref, de raison. J'ai nommé, cela va sans dire, celle dont le commissaire de police est le seul et unique détenteur. Vous voudriez que la vérité s'incarne une bonne fois, qu'on identifie le coupable, qu'on trouve l'arme du crime, le bras qui agit, le (ou à la rigueur les) cerveau(x) qui tire(nt) les ficelles. Logique primaire de roman policier, vieille raison pour vieilles Anglaises, adolescentes attardées dans un monde fermé. Un monde qui n'attend que d'être désossé, découpé aux articulations de ses vieilles passions à peine recouvertes d'un peu de chair hypocrite, mais en réalité aussi voyantes que sur une carcasse de poulet. Je vais vous dire, moi, monsieur le Commissaire : la véritable enquête, c'est la presse qui la mène, et c'est la seule valable, parce qu'elle est *sociale*.

Oh, je sais, pour vous, tout ça est trop long, ça n'a pas le goût du poulet à la peau croustillante, parfaitement découpé. Hein, monsieur le Commissaire ? C'est pas le même boulot de traquer une vérité complexe, mettant en cause la société entière, et de déguster royalement des cailles toutes rôties !

Larry Smirnoff assena son couplet à Rilsky sans se préoccuper le moins du monde de son propre statut de témoin, voire de suspect dans l'affaire dont il retournait, à savoir le meurtre de Gloria Harrison. Attitude qui venait à point nommé conforter le racisme du commissaire tout en y ajoutant ce supplément d'aigreur qui lui soulevait toujours le cœur face aux mâles imbus de leur rôle d'extralucides supermodernes, rôle qui allait de pair, Rilsky l'avait maintes fois constaté, avec une prétention d'expert en matière sexuelle.

– Si vous n'y voyez pas d'inconvénient, nous allons malheureusement rabaisser le débat et en venir à votre emploi du temps personnel. (Rilsky s'engagea à contrecœur dans cette direction certes inévitable, mais fort désagréable pour lui, bien décidé à ne point s'y appesantir.)

– Du béton, monsieur le Commissaire ! Je veux dire : j'ai un alibi en béton. Car, en réalité, il s'agit d'une partie de plaisir, bref, d'une substance fine et pénétrable, si vous voyez ce que je veux dire, en quoi la mention du solide que je viens d'évoquer est pour le moins déplacée. Ah, ah ! (Larry ne craignait pas la grossièreté, tandis que Rilsky s'armait de répulsion pour ne pas poser de question.)

– ... (Rilsky.)

– N'insistez pas, je ne vous dirai pas qui c'est. Mais j'ai passé avec cette jeune personne la nuit du samedi au dimanche, et jusqu'à l'après-midi de ce même dimanche, si vous voulez tout savoir. D'ailleurs, nous avons pris le *brunch* ensemble, tout le monde a pu nous voir au New's Café. (Smirnoff, vantard et ravi de l'être.)

Popov venant de lui remettre le rapport du brigadier chargé d'enquêter sur l'emploi du temps du journaliste, Rilsky savait déjà que c'était bien la correspondante française de *L'Événement* qui accompagnait le directeur du *Matin* au New's Café. La trivialité de la situation, qui jetait une ombre déplaisante sur l'image de Mlle Delacour, mais ne parvenait pas à la ternir au point de la reléguer parmi les cibles ordinaires du racisme du commissaire, l'empêcha de s'acharner sur l'incohérence des propos de Smirnoff. Ainsi, il ne jugea pas opportun de relever qu'on pouvait prendre un *brunch* avec quelqu'un sans avoir nécessairement passé la nuit avec lui (ou elle), et que, sauf confirmation de l'intéressée ou témoignage d'un tiers, rien ne validait pour le moment l'alibi prétendument « en béton » du directeur du *Matin*. Il n'en était pas moins vraisemblable. Rilsky connaissait les faiblesses de Mlle Delacour, ce qui expliquait d'autant mieux son indulgence et sa protection. Le commissaire n'insista donc pas sur la nuit du samedi au dimanche, mais :

– En somme, vous n'avez pas d'alibi pour l'après-midi, après le *brunch*. Car c'est l'après-midi, selon toute probabilité, que la décapitation a eu lieu, postérieure au meurtre à l'arme blanche. (Rilsky n'avait pu résister à la tentation de cette perfidie, l'arrogance du journaliste la méritait bien.)

– Et pour quel motif, je vous prie, aurais-je perpétré un acte aussi insensé ? Enfin, trêve de plaisanteries, Northrop ! Toutefois, je reconnais que votre théorie d'un crime commis à plusieurs tient le coup. Maintenant, voudriez-vous avoir l'aimable patience de m'écouter ?

Larry était dans son élément et se délectait en présentant au commissaire un brouillon oral de l'article qui paraîtrait sous peu à la « une » de son journal et sous sa signature.

Divers scandales immobiliers éclaboussaient depuis plusieurs mois les milieux politiques de Santa Barbara. Le parti au gouvernement, et même des proches du Président, si ce n'était le Président en personne – mais la preuve était pour l'heure difficile à rapporter –, avaient réquisitionné des terrains à coups d'expropriations, et les transactions allaient bon train, toutes plus délirantes et inconsidérées les unes que les autres, sous couvert d'entreprises fantômes et avec la complicité des autorités municipales. Le tourisme étant devenu la source de profits la plus juteuse du pays, les affairistes s'étaient lancés dans la construction d'hôtels, de marinas, de campings et autres lotissements. Fini les marais salants, les réserves d'oiseaux, les bois, les jardins et les vignes ! Et si cela ne suffisait pas, on raserait les écoles, les hôpitaux et même des habitations privées, au grand dam des libéraux et des écologistes impuissants dont l'audience allait d'ailleurs en s'effritant dangereusement.

Or, tout récemment, la spéculation immobilière s'était attaquée au secteur de la santé, jugé exagérément coûteux et responsable du fameux « trou » dans les dépenses sociales. Une série d'établissements psychiatriques malencontreusement regroupés dans une zone convoitée par les professionnels du tourisme avaient été désaffectés, et leurs pensionnaires entassés dans les locaux déjà surpeuplés de deux hôpitaux des abords de la capitale, pour ainsi dire aux portes du quartier résidentiel de Santa Barbara. Grogne du personnel, grève des surveillants, relâchement des soins : toutes ces attitudes compréhensibles mais suicidaires n'avaient en rien ému les gouvernants, et, comme d'habitude, c'était la population civile qui en avait fait les frais. Plusieurs malades s'étaient évadés et le taux de criminalité, déjà en hausse constante (le commissaire était bien placé pour le savoir), s'était encore accru. Sauf que la police aux ordres du gouvernement, dont monsieur le Commissaire semblait être un si fidèle serviteur, n'était nullement disposée à se préoccuper de cet aspect des choses et à risquer de devoir identifier les vrais responsables, proches du sommet de l'État. Or, n'était-ce pas ce que Rilsky venait de laisser entendre en révélant que le meurtre de Gloria Harrison était une œuvre collective, donc foncièrement pathologique – étant entendu que tout meurtre l'est plus ou moins, mais que celui-ci, par sa brutalité exorbitante, désignait à l'évidence les putrides bas-fonds de la folie humaine ?

L'hypothèse que Larry Smirnoff claironnait était donc nette et définitive, une certitude plutôt qu'une hypothèse : puisque personne au monde ne pouvait vouloir du mal à cette charmante Gloria, seul un déséquilibré, un maniaque sexuel ou un kleptomane invétéré – on avait remarqué la disparition de menus objets – avait pu poignarder une femme endormie dans une maison sans surveillance. Ce n'était pourtant pas les flics qui manquaient, à Santa Barbara, soit dit en passant, mais, ici comme ailleurs, on se demandait pourquoi ils n'étaient jamais là où on avait besoin d'eux.

Revenons aux faits. On parlait depuis une semaine d'un *serial killer* qui pouvait parfaitement être l'auteur de la décapitation, car il avait violé et étranglé toutes ses victimes, ce qui prouvait bien que le dément en voulait au cou des femmes. Le commissaire n'était pas sans connaître l'existence du rôdeur mais, comme cette piste risquait de mener aux scandales immobiliers, il préférait sans doute oublier la maladie mentale (et par conséquent politique), se complaire dans une psychologie en vase clos et perdre son temps en s'amusant à déstabiliser les intimes de la victime.

– La psychologie n'a jamais été qu'une lamentable tentative d'éviter la politique. Vous le savez comme moi, puisque vous faites tout pour contourner mon hypothèse, n'est-ce pas, monsieur le Commissaire ? Mais, tôt ou tard, vous serez bien obligé de me donner raison, si tant est que vous ayez l'honnêteté de conduire votre enquête à son terme. (Smirnoff, menaçant.)

Il ne faisait pas partie des compétences de Rilsky de se mêler de politique. D'ailleurs, il s'était toujours demandé s'il ne devait pas englober dans son mépris des journalistes la profession politicienne dont le sort dépendait de plus en plus des aptitudes télévisuelles de ses hérauts et qui constituait en somme un sous-ensemble de la toute-puissance médiatique. L'hypothèse du *serial killer*, évadé ou pas d'un quelconque asile psychiatrique, et en cheville avec les affairistes évoqués par le directeur du *Matin*, le titillait néanmoins. Les journaux ne se lassaient pas d'étaler les méfaits de cette nouvelle vedette et on commençait à bien connaître les goûts et manies du psychopathe : pas d'empreintes ; victimes systématiquement violées (mais on ne parvenait pas pour l'instant à en cerner les traits communs, si ce n'est qu'il s'agissait de femmes séduisantes dans la quarantaine) ; meurtres commis par étranglement et, en effet, multiples sévices, en particulier au cou des victimes, en général tailladé à l'arme blanche. Rien sur le cadavre de Mme Harrison n'indiquait qu'elle eût été violée ; il fallait néanmoins attendre les résultats des prélèvements vaginaux. Quant à l'acharnement sur le cou, il avait été cette fois autrement bestial... et radical. La psychologie constitue peut-être une lamentable approche aux yeux du journaliste, mais le dernier apprenti psychologue n'aurait pas confondu la pathologie d'un *serial killer* amateur de gorges et de cous, dont s'entichaient les journaux santa barbarois, avec celle du trancheur de tête qui avait supplicié Mme Harrison. Rien n'excluait par ailleurs l'existence d'un deuxième *serial killer*, encore inconnu des médias, voleur de tableaux, celui-ci, et lanceur de poignards, ni celle d'un troisième, lequel poussait le mauvais goût jusqu'à décapiter les cadavres refroidis. Mais, en l'état actuel des investigations, c'étaient là des hypothèses hasardeuses qui, si elles venaient à se confirmer, précipiteraient Santa Barbara dans une énorme panique, de quoi exciter et même justifier le zèle vengeur du journaliste. Rilsky, quant à lui, préférait ne pas prendre la responsabilité d'un drame national et s'en tenir pour l'heure aux menus détails de l'enquête, procéder par élimination des causes les plus immédiates, donc les plus proches et les plus insignifiantes.

– Le tableau volé est un Picasso, *La Femme à la collerette.* (Rilsky, revenant au concret.)

– Sans blague ! Ils en possédaient, des trucs, les vieux Harrison, mais, à ce point, je ne l'aurais jamais cru. Je n'y connais rien, remarquez : la peinture, moi... Chacun ses limites, n'est-ce pas, Commissaire ? Ce que je sais, c'est que ça doit coûter cher, un tableau comme ça. Tout compte fait, c'est bien ce que je me disais : les femmes de Picasso m'ont toujours eu l'air sorties des mains d'un assassin. Des têtes tailladées posées sur une collerette comme sur un plateau. Le *serial killer* n'aura pas pu s'empêcher d'y voir une représentation de ses fantasmes. Raison de plus pour le subtiliser.

– Feriez-vous maintenant de la psychologie plutôt que de la politique ?

– Si vous voulez, mais uniquement comme moyen d'appoint pour débusquer les vrais responsables, beaucoup plus dangereux que les minables psychopathes où se recrutent vos clients.

– Je n'ai pas de clients, Larry. Je me contente de recueillir votre témoignage.

– Je crois vous avoir tout dit.

– L'enquête ne fait que commencer. Je vous serais reconnaissant, ainsi qu'à votre alibi, de ne pas quitter le territoire national. Au plaisir, monsieur le directeur.

Rilsky raccompagna courtoisement Smirnoff au salon, plus que jamais justifié, à ce qu'il lui semblait, dans son exécration anti-journalistique.

Il écouta paisiblement et sans surprise la déposition de Pauline Gadeau, à peine suspecte puisqu'elle avait quitté le dîner bien avant la fin, emmenant Jerry chez elle à la campagne pour les vacances de la Toussaint. Mais il se devait de l'interroger, par routine et dans l'espoir de glaner quelques détails révélateurs sur la victime et ses relations. Pas grand-chose, hélas, l'orthophoniste, très réservée, se bornant à des observations strictement professionnelles. Jerry étant son patient, elle en savait naturellement davantage sur les difficultés – d'ailleurs largement surmontées, désormais – du jeune sourd que sur la blessure secrètement endurée par la mère du fait de ce malheureux handicap. En psychologue avertie, Pauline Gadeau ne manqua pas de faire remarquer au commissaire qu'elle se gardait bien de s'approcher trop près de celle-ci, de façon à se tenir entièrement disponible pour la psyché du fils. Rilsky comprenait ce genre de précautions, elle en était persuadée...

La voix précise et monocorde et la terne apparence de l'éducatrice commençaient franchement à faire bâiller le policier qui avait déjà eu fort à faire depuis le matin, et un simple café pour tout déjeuner. C'est alors que les propos de Smirnoff, décidément grossiers, mais pas toujours dépourvus de fondement, lui revinrent en mémoire : « La psychologie, lamentable évitement de la politique... » Il écourta les subtilités de Mme Gadeau, laquelle, de son côté, ne tenait pas à s'éterniser (« Dix-neuf heures déjà, Commissaire, j'habite loin, et Jerry m'attend pour le dîner »), pour faire entrer le professeur Zorine.

4.

L'hôpital Saint-Ambroise occupait depuis plus d'un siècle un bâtiment vétuste et disgracieux dans la banlieue sud de la capitale. La façade décrépie, le jardin étiolé, les rances relents d'asile mêlés aux émanations de poubelles, de désinfectant et de cuisine à base de chou, pâtes et pommes de terre, ajoutaient à la désolation qu'on attend normalement de lieux réservés aux anormaux. Aucun travail de rénovation n'y avait été entrepris depuis des lustres, malgré l'insistance des plus hautes sommités de la psychiatrie locale, Zorine inclus, et en dépit du nombre croissant des pensionnaires. Car, s'il était incontestable que Santa Barbara possédait d'excellents spécialistes pour lesquels la biochimie du cerveau n'avait plus de secrets, qui savaient manier les rares scanners du pays ou administrer les neuroleptiques (quand il y en avait) comme personne, et publiaient dans les meilleures revues scientifiques du monde les résultats de recherches hautement appréciées dans le domaine des sciences cognitives en plein essor, force était de reconnaître que la pratique quotidienne laissait à désirer, c'est le moins qu'on puisse dire. Insuffisance de médicaments, intendance miséreuse, surpeuplement parmi les malades et pénurie de personnel soignant : autant de raisons qui expliquaient le lamentable niveau des soins et la brutalité croissante des relations hospitalières. Victor Zorine en éprouvait une honte cuisante, bien qu'il eût suivi une psychanalyse plutôt réussie et exerçât lui-même cet art en sus de la consultation psychiatrique qu'il donnait à l'hôpital, ce qui parvenait d'ordinaire à le sauver des contingences sentimentales. Il se rassurait en pensant qu'au moins dans son secteur – la pédopsychiatrie –, qu'il dirigeait avec compétence et rigueur, les manquements à la déontologie étaient réduits au minimum, et il pouvait se féliciter des excellents résultats qui plaçaient le service au plus haut niveau international. De telle sorte qu'après avoir quitté à regret, ce samedi 15 octobre à 0 h 40, l'irremplaçable compagnie de Gloria Harrison qu'il jugeait l'être le plus distingué et la femme la plus séduisante au monde, tandis qu'il longeait les murs lugubres de Saint-Ambroise pour accéder à son appartement de fonction, au deuxième étage du petit hôtel particulier délabré réservé à la direction, Zorine arborait un fin sourire de satisfaction. Arraché à son sommeil, le portier en fut surpris, car le professeur était du genre plutôt introverti et se déridait rarement quand sa Volvo rouge passait la barrière de l'hôpital. Mais tant mieux, après tout, si « le professeur des enfants », comme on l'appelait, pouvait trouver lui aussi un certain confort personnel, un bonheur familial, par exemple, à l'instar de tout un chacun.

En fait, Zorine pensait déjà à sa communication du lendemain matin au colloque international sur l'autisme, qu'il devait inaugurer à 9 heures dans le Grand Amphithéâtre de l'hôpital, hélas peu accueillant, mais qui (la communication) s'annonçait fort brillante. Tout en levant machinalement la main pour saluer le concierge et s'excuser de le réveiller, il s'en récitait les passages décisifs pour en savourer à l'avance la pertinence, non sans constater qu'il devait impérativement, avant de se coucher, changer çà et là quelques phrases trop affectées. Ce qu'il fit, dans son bureau, jusqu'à 2 heures du matin. Car, en homme méticuleux, Zorine se laissait facilement submerger par les détails, sinon le perfectionnisme.

Sans surprise, sa communication fut donc brillante et, chose rare dans un colloque – dans un congrès sur l'autisme, de surcroît, par définition obscur et sans espoir –, l'orateur fut chaleureusement applaudi. Pour schématiser, disons que le professeur Zorine soutenait les thèses de l'école anglaise qui suppose un autisme endémique chez tous les humains : nous serions tous porteurs d'un traumatisme sensoriel, sorte de « trou noir » creusé dans notre psychisme par une sensation oubliée et exorbitante, joyeuse ou douloureuse, peu importe, et que nous colmatons tant bien que mal avant d'être capables de désirer notre mère et de tuer notre père (comme le veut ce pauvre Freud et s'agissant des garçons, bien entendu). Cependant – et c'est là que Zorine innovait –, cet autisme compensé s'insinuait parfois dans notre existence sous forme de variantes insoupçonnées autant que positives. Ainsi certains enfants – et par conséquent des adultes – sont-ils doués de ce qu'on appelle l'oreille absolue. À y regarder de plus près, comme l'avait fait le professeur, ils obturent le fameux « trou noir » de leur autisme endémique (établi par l'école anglaise, ayons l'honnêteté de le rappeler), c'est-à-dire leur hypersensibilité hyperdouloureuse, par une hyperadhésion au monde des sons. Ils s'y collent, l'absorbent, le reproduisent fidèlement pour s'en napper, s'en faire un pansement protecteur, un sparadrap sur leur blessure auditive. À force d'avoir été violentés par les sons, ils les apprivoisent en les imitant.

« Vous percevez les sons par l'entremise de votre cerveau droit, mesdames et messieurs, expliquait Zorine, vous le savez naturellement, et moi aussi. Mais ceux qui ont l'oreille absolue en sont incapables, parce qu'ils en souffrent trop. Toutes ces vagues sensibles, autrement dit tout ce qui leur arrive par le cerveau droit les submerge totalement. C'est mon hypothèse, et je suis en train de la vérifier par IRM... Que se passe-t-il alors ? Eh bien, la plupart d'entre eux en restent là et nous n'en entendons jamais parler. Tandis que d'autres transfèrent leur vie sonore à gauche, autrement dit dans le cerveau spécialisé dans l'apprentissage de la langue et de la logique. Dès lors, ils perçoivent et réalisent la musique comme vous et moi le langage. Si vous m'avez suivi, vous aurez compris que les oreilles absolues sont des logiciens du bruit, ou, si vous préférez, des logiciels du monde sonore. Laissons de côté les génies qui ne viennent jamais consulter, ou très rarement. Je vous parle ici des autistes compensés devenus oreilles absolues. Leur stratagème n'est efficace que s'ils obtiennent une exactitude parfaite. Et elle l'est au point que la performance tourne au stéréotype, car ces sujets sont de fidèles imitateurs, nullement des petits Mozart créateurs. Ils ressassent mais n'inventent pas ; au mieux, ils s'élèvent jusqu'à la dérision, mesurant par le rire la distance qui les sépare de la source qu'ils imitent... »

Le professeur Zorine illustrait ce phénomène d'autisme compensé par un autre exploit artistique, fort troublant lui aussi pour le profane, concernant cette fois les arts plastiques. Un de ses jeunes patients, sourd de naissance, avait développé une étrange aptitude à dessiner tout à fait comme Picasso. Et à reproduire à n'en plus finir de faux Picasso que seuls les spécialistes – et encore ! – étaient en mesure de distinguer des vrais. Le faussaire se révélait par ailleurs parfaitement incapable de dessiner convenablement, et par lui-même, une pomme ou un arbre, comme l'aurait fait à son âge n'importe quel enfant dit « ordinaire ».

L'enquête préliminaire devait confirmer à Rilsky le succès hors pair que le professeur s'était en effet taillé au colloque, le dimanche du crime, et il n'était pas sûr d'apprécier cette réussite scientifique. Pour compléter la gamme des nausées du commissaire, il faut préciser qu'à l'exaspération où le jetaient les journalistes s'ajoutait un agacement mi-fasciné, mi-hargneux à l'égard des sorciers de l'âme que sont les prétendus spécialistes de la santé mentale. Le bavardage présomptueux de Zorine l'avait ramené à l'hiver précédent, un de ces hivers blancs et lumineux qui, alternant avec les étés torrides de Santa Barbara, y déploient pour quelques mois un décor de conte de fées. Le lieutenant Paolo Voli, du département d'enquête sur les crimes sexuels, venait d'être assassiné et Rilsky assistait à la messe d'enterrement. La veuve en noir, les trois filles du mort, l'encens, l'évanouissement d'un fidèle, l'homélie du prêtre : « Paix à son âme, lui qui n'a pas hésité à se porter au secours d'une âme perdue en risquant sa vie pour la sécurité de tous. » Amen...

Sous ses dehors conventionnels, et sans être un ennemi de la religion à laquelle il reconnaissait des effets civilisateurs, Rilsky, à l'insu de tous, se mettait d'habitude en colère contre les mièvres encensements que l'ordre établi réserve à ses hommes en pareille occasion. Mais, cette fois-ci, ce ne fut pas le prêtre qui déclencha ses foudres intérieures. Le psychiatre assermenté que leur déléguait périodiquement le ministère de la Santé pour les tenir au courant de l'évolution psychique des assassins, et qui était venu leur expliquer le « cas » après le meurtre de Voli – comme si les flics, tous les flics ne l'avaient pas compris tout seuls, ce « cas », et les autres avec, à force de les fréquenter, et comme si une explication pouvait atténuer en quoi que ce soit l'irrémédiable de la mort –, était assis au premier rang. Sa componction laissait entendre qu'une bonne connaissance de la vérité de l'âme, mieux dite « vérité psychique », telle que lui-même la cultivait et que le sergent Voli, hélas, avait ignorée tout au long de son existence, aurait pu épargner la vie de cet agent des forces de l'ordre, certes intrépide mais un tantinet négligent eu égard aux dernières découvertes de la science psychiatrique. Rilsky, pourtant friand de nouveautés, était à bout. Tout ce que ce flagorneur avait trouvé à leur dire se résumait à ceci : l'assassin était un pervers, donc structuralement incapable de distinguer le bien du mal, de même qu'il était incapable de sensations et remédiait à son « trou psychique » par des jubilations paroxystiques dans lesquelles l'amour et la mort se confondaient. Et voilà pourquoi votre fille est muette ! Cela lui faisait une belle jambe, à Voli, de savoir ça ! Quand le violeur pédophile s'était retrouvé face à face avec le lieutenant et qu'il lui avait tiré dessus alors que l'autre essayait de parlementer (« Allons, calmez-vous, lâchez l'enfant, donnez-moi votre arme, voilà... », entre autres fadaises qu'on improvise dans ces moments-là), toute la science du trou noir n'aurait servi de rien. Tout compte fait, et malgré leur ambition affichée (ou cachée) de normaliser les uns et les autres, ces sciences de l'âme permettaient surtout d'innocenter les assassins. Et la victime, que faites-vous de la victime, monsieur le psychiatre ? Son âme à elle, la victime, est-elle la même que celle du meurtrier ? Distingue-t-elle le bien du mal ?

Éprouve-t-elle des sensations ? Où est son trou noir ? Voilà des questions que ne se posent jamais les experts psychiatres, et Rilsky avait eu envie ce jour-là, à l'enterrement de Voli, de lui casser la figure, au spécialiste de l'âme du ministère de la Santé, cependant que la veuve et les trois filles s'effondraient en larmes et que même Popov sortait un kleenex usagé de la poche de son jean. Vieille baderne, vieux rat de bibliothèque, je te ferai voir, moi, connard, la différence entre tes âneries et la vie d'un flic !

Rilsky éprouvait de ces impulsions agressives et même vulgaires qu'on avait plutôt tendance à attribuer à Popov et qu'on ne devinait pas sous ses dehors distingués. Dans ces moments-là – assez fréquents, il fallait le reconnaître –, il entérinait les raisons profondes qui lui faisaient supporter l'insupportable Popov et savourait non sans perversité leur inavouable gémellité.

Et voilà que Zorine lui ressortait le même « trou noir », qu'il lui refaisait le coup de la vie psychique, celle du faussaire, cette fois-ci, en oubliant à son tour la victime ! L'amoureux transi de Gloria Harrison se révélait être un chasseur d'âme et n'avait d'yeux que pour le tableau de Picasso. Travers de psychiatre ? Ou d'amant platonique ?

– ... Ce qui nous ramène à notre propos, mon cher Rilsky. (Le professeur venait d'exposer brièvement son emploi du temps au commissaire qui, bien qu'allergique aux cuistres, l'écoutait avec attention. La psychanalyse postfreudienne était en passe de devenir son deuxième hobby, après le violon : il fallait bien faire face aux divagations de tous ces délégués du ministère, si savamment recyclés.) Figurez-vous que le faussaire surdoué dont j'ai fait état dans ma communication n'est autre que Jerry Novak, le fils de notre chère disparue. (Ici enfin, le chagrin en l'occurrence bien réel du pédopsychiatre se fit entendre dans sa voix où Rilsky crut déceler des larmes.) J'ai pu admirer encore, l'autre soir, tandis que je m'entretenais avec mon inoubliable amie dans son bureau, quelques minutes avant l'arrivée de ses invités, la plus belle imitation de *La Femme à la collerette* – de 1937, si je ne me trompe –, accrochée ici même par cette mère si attentive aux talents de son fils.

Zorine pivota pour désigner le tableau en question, et ses yeux clignèrent, surpris, devant le carré vert foncé qui se découpait sur le mur réséda faisant face au bureau de Gloria, puis il effectua un brusque demi-tour vers le commissaire.

– Volé, Professeur ! Le seul objet volé. Enfin, le seul recensé pour le moment, inutile-de-le-dire, l'enquête n'en est qu'à ses débuts. (Rilsky, satisfait de la satisfaction éberluée qu'exprimait le visage de Zorine.)

– Mais voyons ! C'est extraordinaire ! Cela voudrait dire que cette nuit-là, au moment précis où je rédigeais – où je corrigeais, veux-je dire –, ma communication sur *La Femme à la collerette*, quelqu'un – si je vous comprends bien, l'assassin – a eu...

– ... la même idée !

– Vous m'insultez, Commissaire, ou alors vous voulez plaisanter ; ce serait de très mauvais goût dans des circonstances pareilles. Car, entre une analyse scientifique et ce vol cynique...

– L'espèce humaine a inventé les moyens les plus variés d'appropriation et de possession des biens d'autrui, je ne vous apprends rien, Professeur.

– Votre insinuation est tellement ridicule que je préfère ne pas la relever. Je n'y verrai, si vous permettez, que le zèle d'un apprenti psychiatre. N'est-il pas amusant, tout compte fait – et peut-être est-ce la preuve de notre utilité publique, pour ceux qui en douteraient –, de constater que notre profession est à la mode dans la police ? En tout cas, votre... comment dirais-je ?... votre humour grossier, ou votre grossièreté humoristique a l'avantage de me mettre à l'abri. Car si j'étais occupé à « voler » le tableau de Jerry Novak pour satisfaire les extravagances de mon esprit et uniquement pour ce plaisir-là (car c'est bien votre spéculation, n'est-ce pas ?), je ne pouvais le voler en réalité, et n'avais par conséquent aucun motif de m'attaquer à la mère du peintre. Cela dit, je présume que vous ne croyez pas ce que chacun a dû vous dire, à savoir que j'aurais pu la tuer tout simplement parce qu'elle ne cédait pas à mes avances. Ou encore, voyons, que pourrait imaginer d'autre votre cerveau de détective ? Par exemple, pourquoi n'aurais-je pas dérobé le tableau après avoir tué la mère dans ce but, pour mieux examiner l'objet et la situation à des fins scientifiques ? Professeur Zorine et Mister Hyde... Professeur Zorine et Dr Jekyll... Mais non ! Vous êtes trop raffiné, en un sens, pour vous laisser aller à imaginer cela. Vous ne me supposez pas cette pathologie-là, n'est-ce pas ? Je n'ai rien d'une double personnalité, c'est évident. Merci, Commissaire !

Malgré sa longue pratique des êtres humains, Rilsky se laissait toujours surprendre et même impressionner par la facilité avec laquelle les associations libres des psychanalystes (plus encore que celles des autres sujets) révélaient leurs fantasmes meurtriers et leur mépris des autres. Les gens ne demandent qu'à parler, il suffit de les laisser faire ; les psychanalystes comme les autres, sinon plus.

– Mais ce tableau, Commissaire, ce tableau, j'en connais la moindre tache de couleur aussi bien que je connais Jerry. (Zorine triomphait, comme si le meurtre assorti d'un vol, plus encore que l'ovation au colloque sur l'autisme, apportait une validation suprême à ses humbles recherches scientifiques.) Le filet rouge pourpré du cadre, soutenu à l'extérieur par une large bande jaune d'œuf. Les deux branches d'olivier dressées vert nuit, à la fois gracieuses et menaçantes, des griffes, des crocs ! Les triangles brisés, à droite et à gauche, qui écartent dans un équilibre bancal le carré des épaules, et reprennent la même teinte vert olive virant au gris-bleu. La nacre tavelée des seins, carnée de rose, qui vous délie une fée funeste. Dans la partie supérieure du chef-d'œuvre : le chapeau. Immense escargot orange qui s'amplifie au sommet de la tête, de la paille tissée en vrille ; et les cheveux raides, de la même paille ocre mêlée de tiges aqueuses. Ah, cette palette des jaunes, Commissaire, il n'y a que les jaunes pour peindre la passion apprivoisée, cette paix charnue ! Vous avez le velours du soleil et la saveur du safran, l'insolence des jonquilles et la rudesse des soucis, le poudreux mimosa et la giroflée vivace, le tout coiffé d'un orange surnaturel, la chaleur astrale elle-même qui vous sourit dans le chapeau. Le visage, au centre : un œil frontal, un second en biais ; un impérieux nez noir, un deuxième en terre cuite, comme les lèvres couleur de sang fané. Vous vous souvenez de ces profils égyptiens de belles déesses, ou de beaux dieux, je ne sais, aux crânes allongés, aux yeux immenses, qui ornent les pyramides et les sarcophages, et célèbrent le dieu de l'écriture ? Et de ces jaunes tantôt veloutés, tantôt irruptifs, qui traînent non pas l'odeur d'un cadavre, mais la senteur somnifère des baumes ? « Une femme », dit la légende. Admettons. Une palette toute en parfums et en crissements, la vue cisaillée qui se met à bouger. (Zorine, enfiévré, rêvait tout haut. « Rien de mieux que la peinture et la mort pour rendre les hommes poètes », songea Rilsky.) Le tout équilibré par un col carré, comme sur un plateau...

– Une tête coupée.

– Si vous voulez. J'y avais pensé. Pure coïncidence !

– Vous croyez ?

– Que voulez-vous que ce soit d'autre ? Et ces épaules grises posées sur deux seins roses qui pourraient tout aussi bien être des poumons rayés de blanc, vus en radioscopie et laissant deviner les côtes. J'avais étudié en détail la reproduction de l'original, vous pensez bien. Vous connaissez ?

– Pas sûr. Il me semble que oui. Entre nous, elles se ressemblent tellement, toutes ces femmes de Picasso...

– Erreur, Commissaire, grossière erreur, une fois de plus ! Celle-ci représente Mlle Walter, Marie-Thérèse. Tout le charme, toute la délicatesse, toute la fraîcheur sous le coup de taille du pinceau... pardonnez-moi l'expression ! Rien à voir avec le faux bonheur d'Olga, ou avec ces lugubres portraits de Dora Maar, de Jacqueline ou de Françoise Gilot, oh non ! Jerry ne s'y est pas trompé. C'est sa mère qu'il a peint, le petit faussaire, sa violence peut-être, je veux dire sa violence à lui, bien sûr, mais, pour commencer, celle de la femme, vous me suivez ? Sans oublier le côté jeune fille, vulnérable, un brin ingénue de Gloria. Vous ne l'avez pas connue ? Quel dommage, vraiment, quelle perte irréparable ! Enfin, la tendresse vaudra toujours mieux que la plus performante des prothèses, de même que l'inutile éclat du rire poétique, Commissaire, si vous voyez ce que je veux dire... Leur amour, en somme, quelle meilleure réussite dans une vie... Jerry avait trouvé sa façon de le contenir, cet amour, en le reproduisant mille et une fois, trait pour trait, par Picasso interposé. De s'en défendre et de le célébrer. Au grand dam de ce petit peintre que fut le père Novak, malgré sa toute fraîche célébrité. Sans commune mesure avec Picasso, naturellement : le message œdipien du fils se mettant à l'ombre du génial Espagnol n'échappe à aucun œil averti, vous êtes d'accord ? Et Gloria l'avait bien compris, puisque c'est cette *Femme à la collerette* qu'elle avait choisie, parmi tous les autres faux Picasso de son fils, pour l'accrocher face à sa table de travail. Du reste elle adorait les jaunes, les bis, les sables, les ivoires, les ocres clairs, les écrus...

Zorine laissa trembler encore un soupçon de larmes dans sa voix. Le professeur était prêt à broder interminablement sur la peinture, mais ce sujet par ailleurs intéressant ne passionnait pas vraiment Rilsky.

Quid de Zorine ? On ne lui soutirerait rien de plus ce jour-là. Toutefois, quoique narcissique, son témoignage était loin d'être inutile. Tendresse de la violence ; autisme compensé ; momie cubiste : autant d'éléments à verser au dossier du portrait-robot de l'assassin. Des assassins... Le puzzle commençait à se rassembler dans l'esprit de Rilsky.

5.

Le nombre de choses qu'on peut sentir quand le temps s'arrête, comme tranché par le meurtre... Lequel nous réunit pourtant afin de dérouler le temps à rebours, se souvenir : rappelez-vous ce que vous avez fait entre minuit, ce samedi 15 octobre, et le dimanche 16 au soir ! Encore un effort, m'ssieurs dames, pour retrouver le temps perdu... Bonne chance !

J'attends toujours, allongée dans un transat en teck, sur la terrasse glycinée. Le commissaire se joue de moi, il s'imagine qu'il joue avec mes nerfs. S'il savait !

Ma peau frôle la rêche résistance de la toile de lin varech, le bois poreux et résiné n'a rien d'un cercueil, mon corps affaissé me donne un regard de chien qui rase le sol, et je me mêle au frissonnement de l'air sur le gravier, aux feuilles basses et réticentes des orangers.

J'éprouve mes seins, volumes mûrs et moites sous cet ensemble bleu trop chaud pour un après-midi plus chaud encore. Belles dorades gonflées d'algues et de plancton, pauvres bêtes endormies rêvant de mains furtives et de lèvres fraîches, aujourd'hui leur plénitude hésite, une anxieuse torpeur les crispe. Si j'étais un poisson, je prendrais la première vague, fuirais les filets, les harpons, les hameçons, me planquerais dans le sable. Mais je ne suis pas un poisson et j'ai peur de la lame qui gèle les muscles de douleur. L'attente éveille la folie, et le cadavre de Gloria ne cesse de refluer sur moi.

– Il me fait poireauter, vraiment, vous ne trouvez pas ? (Odile cherche ma compagnie tout en promenant les voiles rouges de sa robe du soir sur la terrasse.)

Je fais celle qui est ailleurs, et le suis en effet. J'habite ma bouche, petite cuvette sèche. Ma langue a peur du vide ; muqueuses tièdes contre les dents, elle caresse cette canine plus coupante que les autres, cette molaire arrondie, les saillies lisses des gencives, frémit d'une écorchure sous la lèvre supérieure qui saigne. Banal et magnifique palais, solitude de cette caverne supérieure qui, plus que mon sexe que je visite après tout moins habilement, moins souvent, me possède. Dérisoire ou monstrueuse intimité que ce corps transfusé à l'opacité du dehors et du dedans, des autres et de soi. Minuscule marge de quiétude et de détresse, un presque rien où je me réfugie quand le crime menace, et davantage encore l'indifférence.

– Je n'ai rien d'autre à dire que ce que Pascal lui a déjà dit : nous sommes au-dessus de tout soupçon, nous étions aux Sables d'or. (Elle s'appuie au tronc osseux de la glycine, face à mon transat, et essaie de m'accrocher.) Il aurait dû nous entendre ensemble, on ne sépare pas les couples dans des circonstances aussi dramatiques.

– ... (Je laisse passer un silence signifiant que je suis harassée, comme elle, à bout.) Vous croyez ?

– Du moins commencer par les femmes. Vous devriez vous plaindre, ma chère, vous aussi, il ne vous traite pas selon votre rang ni selon votre amitié réciproque, devrais-je dire. En cas de sinistre, les femmes et les enfants d'abord, vous êtes d'accord ? (Elle n'est pas près de me lâcher.)

La sensation est une épreuve parce qu'elle n'est pas une pensée. La pensée altère, distancie, nomme. En sentant, je suis *dans* l'objet, ou dans mon corps comme objet. À tel point dedans que ce ne sont pas encore pour moi des objets ou des choses, car je ne prends pas le recul nécessaire pour en penser quoi que ce soit. J'aime cette frontière, je me complais en compromissions et trahisons, la sensation est ma possession à moi. Le jardin secret que je cultive quand un commissaire s'apprête à m'interroger, quand l'existence s'effrite en images et zappages, et que chacun de nous est un tueur potentiel, comme l'insinue ce brave Rilsky, ou du moins un complice de l'inconscient meurtrier, ce *serial killer* qui de toute façon nous aura tous.

Régression de bonne femme, enfantillages, reculade devant la clarté du *cogito* ? « Tais-toi, malheureux, et songe que c'est le plaisir qui t'a tiré du néant ! » Pourtant, bien avant le plaisir, en son cœur même et longtemps après, l'éprouvé ne se laisse pas dire, mais mûrit et fane : un fruit, *fruitio*. J'en éprouve autant les délices que les menaces qui suintent de mon palais, de mes seins, de ces transats en teck et des glycines de Gloria, mauves veines perlées d'une demeure qui jouit comme d'autres agonisent, quand monte la confusion des convives et que chaque atome humain cuve au fond de son siège d'époque ses petits drames secrets, minables perfidies, douleurs inessentielles qui auraient pu et dû en faire un meurtrier. La nuit ne tardera pas à tomber, tout le monde se sentira de plus en plus suspect, irrémédiablement coupable, ou du moins complice. Comment ne le serait-on pas dans le vacarme des transistors, les vociférations des haut-parleurs, le silence des consciences remises à plat, si l'on est un tant soit peu sensible ?

– Tout ce que j'espère, c'est qu'elle est morte sur le coup. Un coup au cœur, c'est la mort subite, n'est-ce pas, ça ne fait pas mal, je crois avoir lu ça... (Odile me gratifie de l'immense sourire naïf qui lui vient toujours sans raison particulière.)

– Probablement étranglée avant d'être poignardée. Pas trop de sang. (Médicale et frustrante, je lui lâche ces détails.)

– Vous avez interviewé le médecin légiste ? C'est lui qui vous l'a dit ? Mais elle n'a pas de tête : comment peut-on savoir que quelqu'un l'a étranglée ? De toute façon, ils n'ont pas les empreintes digitales. Celles qui se trouvent sur le cou, vous me suivez ? (L'esprit d'Odile s'enlisait ; révulsée et jalouse, elle visionnait déjà le crime passionnel.) Étranglée, ça alors, il ne manquait que ça, comme s'il n'avait pas suffi qu'on lui tranche la tête, à ce pauvre chou. Étranglée ! Non, c'est trop, je ne pourrai pas supporter ça. Pascal ! (Elle s'éloigne.) Vous vous rendez compte ? Le commissaire m'appelle ? J'arrive, Commissaire, je suis à vous... Étranglée ? Ça alors...

Tiens tiens. Un peu trop impatiente, la petite Mme Allart, trop fébrile, trop intéressée par les empreintes digitales sur le cou de sa meilleure amie. Dont elle enviait la séduction d'une rancune incurvée, paternaliste. Une femme aussi plombée est capable de tout. Elle a dû se croire à l'abri du soupçon, puisqu'on avait découvert le corps sans la tête. Mais si l'hypothèse d'un étranglement initial était avancée, alors il serait logique de chercher d'abord l'étrangleur. L'étrangleuse ? J'ai eu tort de croire qu'Odile fantasmait. Le fantasme demande un certain talent, du moins quelque disponibilité. En aurait-elle été capable ? Pas sûr du tout. Plutôt le genre actif, Mme Allart, une spécialiste du passage à l'acte. Mais voilà qu'elle panique déjà, pauvre frou-frou sans intérêt, mon modèle préféré. Le déguisement idéal du vrai monstre. Un régal pour le commissaire qui trouve beaucoup de charme à l'idée que la criminalité résulte de l'analphabétisme, du consumérisme et du déclin de la pensée sous toutes ses formes, fussent-elles de luxe.

Je ne me moque pas de lui ; je le rejoins, tout compte fait, à ma façon à moi, obscure et désabusée. Quand les pensées deviennent des pétitions de bonne foi que tout le monde peut et doit signer, quand les signatures sont interchangeables, puisque la bonne conscience est universelle et l'universel une non-pensée de l'universelle indifférence, mes sensations sur les lieux mêmes du crime font plus que m'inquiéter. C'est peu dire qu'elles me bouleversent, le mot n'est pas assez diaphane. Simplement, je reste sensible. Possédée par l'insaisissable sensation. On en pense ce qu'on veut. Ceux qui vivent de la pensée s'aperçoivent peut-être que nos arguments s'atténuent désormais, s'exténuent en codes, en convenances, conventions, figures, images. Tout le monde en fait ou en consomme, et ça n'intéresse personne. Alors, à l'écart des consciences brisées en clips, ma volupté est ma réserve intime, micro-résistance et dérisoire paradis. Démoniaque promesse, j'en conviens, car à la même source s'abreuve aussi le dérèglement de tous les sens : passions, pathologies, bruits et fureurs en tout genre. Quand on *fait semblant de penser*, quand la pensée est faux-semblant, c'est bien le crime qui crie la vérité enfin inesquivable. Le crime explose au bout de la nuit sensible.

Qu'en pensez-vous ? Moi, j'attends. En attendant, je colle à ma frontière étroite et tiède, je me compromets dans la chair des objets et des êtres, et pour commencer dans la mienne, je passe d'un côté à l'autre, d'un plan à l'autre – une étrangère. « La puissance de Dieu me tient en garde, / Malgré le vieux dragon, / Malgré le gouffre béant de la mort, / Malgré la crainte en surcroît, / Déchaîne-toi, monde, et vole en éclats, / Je demeure ici et chante... » J'aime les motets de Bach, mais c'est l'impuissance de Dieu qui me tient en garde, et je ne sais pas chanter. J'éprouve, je nomme, je trahis, je recommence, je ne suis fidèle à rien, sinon à mes sensations par lesquelles je ne fais d'ailleurs que me trahir. Et en essayant d'éviter aussi bien le meurtre que la bonne conscience, les voyous que les flics qui infestent cette belle demeure des Harrison comme le reste du monde, j'ausculte mes possessions pour me préparer à ma mission de détective sous la surveillance du commissaire qui feint aujourd'hui de me tenir dans ses filets.

À force d'attendre, les pensées perçues reprennent leur chemin à rebours et butent sur l'embryon qu'elles n'auraient jamais dû quitter : morula d'un rêve à peine visible, en doublure du monde ici-maintenant. Un rêve de cette nuit ou de toujours ? Coagulé depuis la mort de Gloria ? Ou éternellement présent mais en attente, jusqu'à ce qu'un événement en développe le négatif et découpe son motif laiteux sur la pellicule ?

– À votre tour, chère Stéphanie, vous semblez fatiguée, ce n'est pourtant qu'une formalité, mais on ne sait jamais à l'avance... (Northrop, amical et taquin.)

– Vous savez toujours l'essentiel, Commissaire. (Stéphanie, persuadée que les questions faussement naïves du détective avaient poussé chacun à se trahir et laissé résonner, dans l'esprit du mélomane, la gamme sur laquelle il entendrait plus tard la vérité.)

Me ressaisir. Retrouver le fil du temps, des phrases. Gloria. Comment penser à autre chose ? à quelqu'un d'autre ? Allusions, sous-entendus, propos plus ou moins malveillants échangés à son sujet. Même avec Rilsky, depuis le temps que nous nous connaissons et que le commissaire essaie de « faire de l'esprit », comme il dit, en profitant de mes séjours à Santa Barbara : un petit jeu qui ne réussit qu'aux dépens d'un tiers et dont Gloria a souvent fait les frais.

Comme une retraite sévère, le dévouement qui colore la passion féminine est un ressort voluptueux. « Un investissement rigoureux, à défaut de quoi une femme reste à l'état d'ébauche », plaisantait ce précieux Northrop, pastichant je ne sais quel duc français. Car, malgré l'aversion de Gloria pour l'autobiographie, sa liaison avec Michael Fish ne pouvait rester secrète dans la petite société de Santa Barbara. « Je n'aime pas me montrer, mais je ne me cache pas. » (Gloria.) Cela se voyait par conséquent, d'autant plus que Michael Fish, lui, ne détestait pas la publicité. « L'abîme ne lui suffit pas. » (Michael.) À l'en croire, les sens de Gloria s'enflammaient vite. « Madame combien de fois ? » (renchérissait Michael.) Sans fin, aurait-elle pu répondre, mais elle ne disait mot. La maternité l'avait parachevée, parce que meurtrie. En ce sens, elle était désormais l'amante parfaite. Mais pour elle-même seulement. Prendre, être prise, maître ou esclave, homme ou femme, rien, florale. Inconsciente du double danger qu'en ressentait son partenaire. Satisfaite mais sans se satisfaire, Gloria laissait à son amant l'impression qu'il était seulement l'ouvrier du sexe, jamais le maître. En prenant l'initiative du jeu quand il était à court d'imagination, elle lui donnait aussi le sentiment de se confronter à un mâle. Michael s'abandonnait, quand il ne se mettait pas en colère. Violence feinte et vraie brutalité : Gloria, elle, s'offrait, souveraine, et en demandait encore. Pour s'arrêter non pas sous la douleur, toujours supportable, mais lorsque, par hasard, ses paupières s'ouvraient et que les iris verts rencontraient le visage convulsé de son amant.

« Le plaisir des femmes fait peur aux hommes, si Madame veut mon avis. » (Hester.) « Avec toi, il est en danger d'homosexualité, je le comprends. » (Odile.) Gloria ne comprenait ni l'une ni l'autre. Elle se saoulait de son corps enfin éveillé après des années de malentendus et de sevrage, et pour rien au monde n'aurait songé à démêler cette sensibilité devenue soudain impérieuse. Il existe un mythe de la femme frigide. Et il en existe un autre, de la femme qui aspire à l'idylle sentimentale. Aucun rapport avec Gloria. Telle une plante ouverte à la rosée, aux papillons, aux abeilles et aux frelons, Gloria regorgeait de plaisir, obscénité pure. Ni corps ni organes : une seule chair avide, du sexe à la peau, aux seins, à la bouche, à l'anus – la chair du monde, la chair de rien, la chair.

Une femme qui jouit est décidée à mourir. Je me demandais si Gloria le savait, et comment moi, Stéphanie, j'avais pu le deviner à sa place. Quel rapport avec le rêve dont le souvenir perdu m'accablait tout à l'heure sur la terrasse, et dont je n'arrivais pas à chasser l'angoisse, ici même, face à Rilsky ?

À peine avais-je allumé ma cigarette, essayant de sortir de l'état cotonneux dans lequel m'avait plongée le meurtre de Gloria, pour me mettre à la hauteur des petites ruses du commissaire, que la voiture de Popov apparut sur la route au bord de la Rivière. Tous gyrophares dehors, elle franchit la grille et stoppa dans le jardin. Survolté, le lieutenant fit une entrée triomphale dans l'ex-bureau de la victime. Il venait d'arrêter Hester Bellini.

6.

Hester n'était pas très fière d'elle dans la nuit du samedi au dimanche, lorsque, vers trois heures et demie du matin, elle avait quitté la chambre d'amis qu'occupait provisoirement Brian Wat pour rejoindre son studio dc service mansardé, tout en haut, dans l'aile droite de la maison. Non qu'elle eût attendu quoi que ce fût de cette liaison avec un étudiant maladif ct ampoulé, mais, jusque-là, elle l'avait toujours fait jouir et s'était presque convaincue qu'elle était la seule au monde à pouvoir accomplir cet exploit, ce qui, après tout, n'était pas négligeable pour un homme et, de surcroît, conférait certains pouvoirs à une femme. Or, cette nuit-là, après avoir débarrassé, servi le café et les alcools, puis rangé sommairement la cuisine avant de faire tout à fond le lendemain – car Madame ne lui demandait jamais rien le dimanche, mais Hester n'aimait pas laisser traîner les choses d'une semaine sur l'autre –, elle était allée rejoindre le jeune homme vers une heure et demie, et l'avait trouvé excité, comme de coutume, mais très nerveux. Or, ni les gros seins de la gouvernante, ni ses habiles fellations, ni même les petits scénarios scabreux teintés d'allusions homosexuelles qu'elle gardait en réserve pour les cas difficiles n'avaient produit l'érection durable dont ils avaient tous deux besoin. En nage dans la nuit surchauffée de cet été indien qui n'en finissait plus, exténués et irrités après plusieurs tentatives ratées, ils commençaient à tomber de sommeil quand Hester avait pris la saine décision de monter se coucher. D'ailleurs, elle en avait assez de Brian, du dîner, des invités de Madame, de Madame et de son bazar ; seul un cognac bien tassé pourrait la laver de toute cette poisse. Elle l'avait siroté à petites gorgées pendant que mûrissait sa décision de laisser tomber Wat, non sans qu'une pensée inverse s'insinuât pour contrecarrer la première. L'étudiant était une mine de renseignements, et Hester espérait découvrir grâce à lui tout un tas de choses encore obscures concernant le passé et le présent de ce M. Fish, lequel non seulement avait accaparé la patronne mais, non content d'être promu amant officiel d'une dame infiniment supérieure à sa médiocre personne, lui infligeait depuis des mois déjà une vie d'enfer. D'abord troublée, puis de plus en plus scandalisée, Hester s'était enfin résolue à agir. D'où Brian Wat et ses informations.

– Pour ne rien vous cacher, monsieur le Commissaire, l'emploi de bonne à tout faire n'a rien d'intéressant ; c'est même indigne, pour une fille moderne, de s'humilier à ce point. De se faire sonner, par exemple, et de présenter le poisson à l'oseille, je vous prie, bien droite et bien poliment, postée à la gauche d'invités qui ne savent même pas ce que c'est et n'ont jamais su se servir de couverts à poisson, ça saute aux yeux. Seulement, d'une part, le chômage sévit à Santa Barbara, encore plus qu'ailleurs. D'autre part et surtout, Mme Harrison était si belle, si distinguée, et si malheureuse avec son petit Jerry et ce peintre de mari qui n'était peut-être pas un cadeau mais qui avait tout de même eu l'idée de la laisser veuve, ce qui était un comble pour une femme encore jeune chargée d'un enfant malade – elle était si malheureuse, donc, qu'Hester s'était sentie, dans son humiliante fonction, comme aspirée par une vocation aussi dramatique que noble. Gloria Harrison avait besoin d'Hester Bellini, si prétentieux que cela pût paraître aux yeux de ceux que Madame croyait être ses amis, lesquels ne voyaient que les atouts de la maîtresse et méprisaient la bonne, que dis-je, ne la remarquaient même pas.

Ces gens-là ignoraient leur complicité secrète, la langueur de Gloria lorsqu'elle s'abandonnait aux soins d'Hester, la douceur de peau de son dos, de ses bras, de son ventre, de ses cuisses qu'elle laissait Hester longuement masser quand elle était fatiguée de la machine à écrire et de Jerry, c'est-à-dire presque tous les jours. Et ces regards brefs, inquiets mais, Hester n'en doutait pas, amoureux qu'elle lui adressait parfois avant de prendre son bain ou d'aller se coucher. Les mêmes yeux plissés que la petite cousine qui lui avait fait l'amour à quinze ans, dans son village, pendant les vendanges, les mêmes yeux vagues, mais plus dérobés, encore plus craintifs.

Le cognac vous nettoie le corps et l'esprit et vous donne du courage pour dormir. Hester avait quitté la cuisine éteinte et ses rêveries, puis était descendue au jardin. C'est alors qu'elle avait aperçu Michael Fish. La porte-fenêtre de la chambre à coucher jouxtant le bureau au rez-de-chaussée était largement ouverte, et la lumière éclairait la voiture du patron. Il venait sans doute d'arriver, car, un peu plus tôt, quand elle avait quitté Brian, Hester ne l'avait pas remarqué. N'était-il pas à Londres ? Aucun avion n'arrivait après minuit à Santa Barbara. D'habitude, Mme Harrison comme M. Fish se faisaient conduire en taxi pour aller à l'aéroport et en revenir.

Michael Fish était-il resté en ville ? Mais alors, pourquoi cette mise en scène de départ précipité pour Londres ?

Hester avait traversé la partie ombragée de la terrasse et s'était glissée dans l'ancienne chambre d'enfant, juste à côté de celle des parents. L'endroit était plus ou moins désaffecté, car Jerry logeait désormais en principe dans une pièce plus spacieuse, à l'étage, contiguë à l'atelier de son père. Grincements de la porte abandonnée ; frottements de cuir sur les dalles, dehors. Pourvu qu'ils n'aient rien entendu ! Espionne terrifiée, Hester s'était tapie contre le mur.

7.

Face à Rilsky, Hester fut incapable de répéter ce qui s'était passé. Aucune envie, cela se voyait. D'ailleurs – le commissaire en était conscient –, le choc s'était révélé si violent que rien n'avait dû s'inscrire dans son esprit ; par conséquent, il n'y avait rien ou presque rien à reproduire.

Cela lui avait paru l'éternelle scène de ménage qu'elle entendait depuis plusieurs mois déjà. Michael Fish rentrant en colère, probablement ivre, les yeux hagards, les gestes incertains, renversant les verres, les plats, s'en prenant à Madame pour un oui, pour un non.

– N'était-ce pas une honte, une damnation, peut-être, de se soumettre à un tel homme ? Car, pour être soumise, Madame l'était, au lit, en tant que femme, je l'ai tout de suite vu, ces choses-là n'échappent pas à une femme de chambre, vous pouvez me croire, monsieur le Commissaire. On peut la comprendre, remarquez ; pendant des années elle n'avait cessé de souffrir en silence avec son petit Jerry. Et puis elle a cru trouver sa chance auprès de cet homme. Mais à ce point ? Et avec un personnage pareil ! Très en dessous, très très en dessous, c'est tout ce que je peux dire, encore que... On en sait des choses, vous n'avez qu'à demander à Brian, vous serez étonné. Il n'en voulait qu'à son argent, à son héritage et à ses tableaux. Un homme méchant et possessif, voilà tout. Et il avait trouvé le biais pour y arriver : il suffisait de l'épouser, rien que ça. Mais Madame ne se laissait pas faire. Tout – je sais ce que je dis –, tout mais pas ça ! Je crois qu'elle voulait léguer ses biens à son fils, parce qu'elle l'adorait, tout le monde en témoignera. Et c'est parfaitement naturel, comment voulez-vous que cet enfant se débrouille dans la vie après sa mort et sans argent ? Elle y avait pensé, Madame, à tout ça. Et voilà qu'on y est. Ce qui est aberrant, ce n'est pas que ce soit arrivé, monsieur le Commissaire, mais que ça ait tant tardé à se produire. Car, malgré les apparences, la vie de cette femme était un cauchemar ; de mon point de vue, à bien y regarder, il n'y avait pas d'issue.

« Seulement, M. Fish ne l'entendait pas de cette oreille ; il voulait tout avoir, tout de suite. Grosse bagarre, la veille de son départ pour Londres. Mais j'ai compris dans la nuit du samedi au dimanche – ou était-ce déjà le petit matin ? – qu'il n'était pas parti à l'étranger. Il avait quitté la maison, ça oui, il avait quitté Madame – du chantage, si vous voulez –, mais il revenait pour retourner le couteau dans la plaie. Elle l'implorait, la pauvre, elle ne voulait pas s'en séparer. “Une femme seule, ma pauvre Hester (elle me disait ça parce qu'elle se doutait bien que j'entendais toutes leurs disputes), c'est pire qu'une femme maltraitée.” Eh bien moi, je ne suis pas de cet avis, monsieur le Commissaire, et vous avez la preuve qu'elle a eu tort, Madame, de se soumettre comme ça. Ce n'est pas Hester Bellini qui se laisserait traiter de cette façon par un homme, vous pouvez me croire. Mais elle était si belle, si fragile, que voulez-vous ? Elle me mettait en colère : je ne pouvais rien dire, cela va de soi, mais elle se doutait bien que je n'approuvais pas ! Franchement, elle me fichait en rogne : s'abaisser à ce point !

« Elle devait avoir un peu trop bu, cette nuit-là, et elle était peut-être à demi inconsciente. Elle prenait souvent des pilules avant de se coucher, parfois plus qu'il n'en fallait, je le voyais bien à sa tête, le matin. Je pense qu'ils ont fini par faire l'amour, là, sur le grand lit, de l'autre côté du mur. Comme toujours après leurs scènes, c'était chaque fois la même chose. Ces bruits de chairs, de sueurs, de gorges, de draps, les souffles et les cris... Moi-même j'étais comme ivre, et je n'osais pas respirer de peur de me trahir. Peut-être me suis-je assoupie.

« Il faisait presque jour quand j'ai entendu du bruit dehors. M. Fish fourrait des tableaux dans le coffre de la voiture, puis il a sauté derrière le volant et démarré en trombe.

« Je ne sais pas combien de temps je suis restée comme ça, recroquevillée par terre, dans la chambre du bébé. Aucun bruit du côté de Madame. S'était-elle rendormie ? Était-elle montée dans la voiture ? Était-elle partie avec M. Fish sans que je m'en rendisse compte, sonnée comme je l'étais ? Je l'ai pensé. Je n'osais pas bouger de peur de me faire remarquer, de déranger. Enfin j'ai eu peur du silence. Alors je suis entrée. Et je l'ai vue. Morte.

– En êtes-vous bien sûre, mademoiselle Bellini ? (Rilsky, aussi lentement que possible.)

– Aucun doute, monsieur le Commissaire, vous avez vu vous-même ce visage écarlate, les lèvres violettes. Pauvre Madame, comme elle a dû souffrir !

– Vous pensez ?

– Si je le pense ! Étendue sur le lit, comme asphyxiée dans son sommeil, mais la face grimaçante de douleur. Et des taches rouges autour des oreilles : sur sa peau transparente, ça sautait aux yeux, non ? Je ne dois pas être la seule à les avoir repérées !

Rilsky n'allait pas la contredire, il tenait là un témoin unique. Hester Bellini était la seule (pour l'instant) à avoir remarqué les pétéchies cutanées rétro-auriculaires de la strangulation. Et à avoir vu la victime avant sa décapitation.

– C'est lui qui l'a étranglée, sinon je ne vois pas qui. (La bonne avait recouvré ses esprits et donnait libre cours à sa rage.) Une brute, je vous dis, et ça se prétend un homme – un gentleman, par-dessus le marché ! Brian me l'avait bien dit : un escroc, un affairiste, mais Madame ne voulait pas me croire. Il la brutalisait pour se faire plaisir, figurez-vous. Coups et blessures, c'est dans le procès qu'il a eu avec son ex-femme, ou une autre, je ne sais plus, mais c'est bien connu. Brian l'a su tout de suite, il me l'a répété, vous savez entre nous...

Elle se faisait soudain agressive et plus précise. Chargeait-elle Michael Fish pour mieux se disculper ? Les hommes de la Brigade criminelle avaient cherché en vain à joindre le célèbre marchand de tableaux dans toutes les galeries de Londres : aucune trace, il n'y avait pas mis les pieds depuis huit mois. Un avis de recherche était déjà diffusé et un mandat d'arrêt n'allait pas tarder à être lancé à son encontre. Mais qu'en était-il d'Hester Bellini elle-même ?

– Vous ne l'aimez pas, hein, ce M. Fish ? Et pourtant, quand vous avez découvert le meurtre, vous ne nous avez pas avertis. Devant le cadavre, vous avez pris la fuite... et les cuillères en argent. (Popov, impatient, feignant d'ignorer les regards courroucés que lui décochait Rilsky. Puis, baissant le ton et résumant à l'intention du commissaire :) Le genre de femme dont personne n'a envie et qui a envie de tuer.

La tortue traquée rentre sous sa carapace. Ça, elle ne peut pas le dire, elle ne sait même pas le penser, ça lui est tombé dessus comme le destin. Une obscure alchimie a transmué sa haine contre Fish en fureur contre Gloria. La plupart pleurent les victimes lorsqu'ils les ont beaucoup aimées ; mais certains les détestent surtout parce qu'ils (ou elles, bien souvent) les ont beaucoup aimées. Madame n'aurait pas dû nourrir une passion aussi basse, facilitant la tâche d'un tueur aussi bas. Une autre Gloria avait pris sa place, habité ce corps excité qui avait bien cherché la mort indigne qu'il avait fini par récolter. Cette autre femme-là, Hester Bellini ne la connaissait pas, ne voulait pas la connaître. Cette autre femme-là n'avait cessé de la blesser, d'humilier la hauteur sensuelle où se tenait le cœur d'Hester Bellini que tout le monde prenait pour une vieille fille maussade, vaguement nymphomane, pressée de se banaliser selon le dernier mauvais goût à la mode ; alors qu'elle n'aspirait qu'aux cimes des admirations féminines, diaphanes et chastes, madone nostalgique sous son tablier rabaissant. Cette autre Gloria, Hester Bellini n'en voulait à aucun prix. Quelle chance d'en être débarrassée, de s'en débarrasser – loin, fuir très loin, ne jamais endurer pareille subordination, jamais de la vie, avec personne, vivre seule, s'assurer une fin de vie modeste mais possible, prendre quelques objets de valeur, pourquoi pas, on est toujours piétiné dans ces métiers, on en fait toujours trop pour ce qu'on est payé, rien du tout ! Une « gouvernante » ? Sans blague ! Corvéable vingt-quatre heures sur vingt-quatre, oui ! Voilà la vérité. On ne l'aura plus, non, pas elle, pas Hester Bellini !

Popov avait eu du flair : Hester avait été arrêtée, non loin de son village natal, dans la montagne, à deux cents kilomètres de Santa Barbara. Elle avait bien volé l'Austin Metro noire de Gloria, non sans y avoir dissimulé l'argenterie, et était rentrée chez elle. Puis, retrouvant quelque lucidité, elle avait rebroussé chemin, garé la voiture devant un refuge et sanglotante et harassée, pris à pied une route de montagne. Une nuit s'était écoulée avant que les gendarmes du coin, alertés par Popov et intrigués par l'Austin, aient fini par localiser la fugueuse. Vers 16 h 30 ce mardi 18 octobre, ils l'avaient ramenée, sans difficulté, au poste de police de Sainte-Marie, sa commune d'origine. Toujours dans sa robe de service noire, mais déchirée par les ronces qui avaient même lacéré son petit tablier blanc, évidemment ; ses boucles blondes complètement aplaties, poissées de poussière et de sueur sur sa face vultueuse.

– Elle nous mène en bateau, Patron. C'est peut-être elle, l'étrangleur. Ça ne tient pas debout, cette histoire d'amant déchaîné, faudrait des preuves. Alors que la bonniche toute dévouée qui fout le camp sans crier gare : bizarre-bizarre ! (Popov n'était pas très sûr de ce qu'il disait, mais, au fond, il tenait une meurtrière vraisemblable. Il gloussa, ravi, comme il le faisait chaque fois qu'il apportait un élément à ses yeux capital dans le cours d'une enquête où il ne se passait rien.) Je vous dis qu'elle l'a étranglée de ses propres mains !

– Mais c'est horrible ! (Rilsky, sincère, car il imaginait Popov imaginant Hester en train d'étrangler Gloria.) Vous croyez que Mlle Bellini aurait pu tuer Gloria Harrison dans le noble but d'exercer une vengeance de classe ?

– Pourquoi se serait-elle gênée ? Il n'y avait personne pour entendre les hurlements, et encore moins les suffocations ; le chétif étudiant avait déjà eu son compte grâce à Mademoiselle. D'ailleurs, elle tenait son homme, il aurait étouffé l'affaire si d'aventure il avait entendu quoi que ce soit. Mais voilà, notre vamp a surestimé son pouvoir – tu parles d'un pouvoir sur un homme qui ne s'intéresse pas vraiment à la chose : ça se voit de Sirius, ce type n'est pas normal ! Heureusement, il nous a mis sur sa piste à elle, encore que j'y serais bien arrivé tout seul. Car, au chapitre des motifs, n'oublions pas qu'elle avait une revanche à prendre. De nos jours, comme vous savez, Patron, les esclaves ne se tiennent plus à leur place... (Popov, rougissant de laisser échapper une appréciation aussi générale.)

– Vous la comprenez parfaitement, Lieutenant, et c'est normal. Moi, je lui ferais malgré tout confiance, mon petit Popov. Peut-être tenons-nous là le début de la tragédie, en tout cas la cause physique de la mort. Au risque de me tromper, mais quand même... Apportez-moi donc tout ce que vous avez sur Fish, inutile-de-vous-le-dire. J'ai toujours pensé, voyez-vous – et notre expérience commune ne fait que le confirmer –, que la soif d'argent est la passion la plus inesthétique qui soit au monde. L'envie pécuniaire dépasse en laideur les perversions sexuelles, je vous l'ai dit maintes fois, mais je vois bien que vous ne me suivez pas...

– Mais si, Patron, je vous jure, je vous suis comme toujours, sauf que cette Hester est un vrai monstre, et je m'y connais... Alors l'argent, pas mon rayon, 'nutile-de-vous-le-dire. (Popov, embêté d'avoir donné au commissaire l'occasion de pérorer sur son dos.)

– Non, non, ne protestez pas, je vous connais, vous ne me suivez pas du tout, je le sais... D'ailleurs, si vous me suivez pour le reste... en gros... comme vous pouvez... eh bien, on va s'arranger, comme d'habitude... rassurez-vous ! Où en étais-je ? L'argent et le sexe, il n'y a que ça en société. Fish, donc : j'ai besoin de votre enquête au sujet de cet oiseau pas si rare, hélas ! Mais l'homme n'est pas qu'un animal social, contrairement à ce qu'on vous a appris à l'école. La haine, la folie – fléaux sociaux, bien sûr ! Mais non, encore plus grave que ça ! C'est génétique, mon cher, ou transcendantal, comme vous voudrez. Si vous voulez bien... Votre Hester... après tout, pourquoi pas ? Pas brillante, ça non ; non plus qu'une sainte, sous ses airs de cœur d'artichaut dévergondé, non, non ! Elle se force, les femmes se forcent toujours quand elles s'élèvent, s'émancipent, et ainsi de suite. J'ajoute que les gens mentent comme ils respirent, et que la pulsion de mort n'épargne personne. Avec ça, Hester Bellini ne quittera pas la ville, n'est-ce pas, vous continuerez à vérifier ses habitudes, ses fréquentations, son emploi du temps. Mais n'oubliez pas la guillotine, mon cher : nous avons, après tout, une tête coupée ! Ou plutôt nous ne l'avons pas ! Vertigineux, vous êtes d'accord ? Le comble de la virtuosité pour un comble de brutalité. J'en vomirais, si vous n'étiez pas là ! Et nous n'avons toujours rien sur le couteau, encore moins sur la décapitation, entre autres détails. Savons-nous l'essentiel ? Mais où est l'essentiel ? La mort ou la haine ? La mort, la haine ou la folie ? Telle est la question. Nous ne sommes pas au bout de nos peines, inutile-de-vous-le-dire.

Popov était bien obligé de convenir qu'Hester Bellini n'avait parlé ni de sang ni de couteau, et que la dernière fois qu'elle l'avait vue, sa patronne avait toujours toute sa tête. D'une certaine façon.

8.

Quelques jours s'étaient écoulés et l'enquête « suivait son cours », selon l'expression consacrée de Rilsky, dans le malaise général. Stéphanie décida de s'en tenir aux éléments les plus rationnels et les plus susceptibles de lui fournir le papier pour lequel elle était venue dans ce fichu pays avant que ne se produise le meurtre dément de Gloria Harrison. Elle explora donc les pistes esquissées par Smirnoff, enquêta en direction des hôpitaux psychiatriques, des expropriations, des scandales immobiliers, de la corruption dans les milieux proches du pouvoir et les partis politiques. Larry avait raison : la filière remontait assez haut, le nœud se resserrait autour du Président. Le journaliste justicier venait du reste de publier ses propres découvertes, qu'il ne manquait pas de rattacher au meurtre de Gloria. Si l'on en croyait la « une » du *Matin*, ce vendredi 21 octobre, tout désignait le *serial killer* comme principal responsable de l'abjection : la bonne avait vu sa patronne évanouie et non pas morte, Michael Fish était incapable de voler un faux Picasso, seul un psychopathe avait pu se contenter d'un larcin aussi absurde et commettre de surcroît des sévices aussi barbares. Or, si le meurtrier était un pensionnaire évadé de Saint-Ambroise, institution bien connue mais dans un état lamentable pour cause d'expropriations et autres scandales immobiliers, cela revenait à dire que le véritable auteur du crime n'était autre que la corruption, en d'autres termes le gouvernement, par conséquent le Président en personne. Larry triomphait :

– Tu comprends, Stéphanie, avec ce meurtre nous tenons une histoire qui a l'air d'être la fin de l'histoire. Le terminus, c'est-à-dire l'*exitus*, ou, si tu veux, l'assassinat qui a déjà eu lieu. Tout serait fini, puisque la mort a frappé. Eh bien non, erreur : tout ne fait que commencer, et d'autant plus sournoisement, joyeusement ou follement que le crime aura été plus abominable. Ce qu'il a été, ce n'est pas toi qui diras le contraire. D'ailleurs, c'est bien l'intérêt des crimes, n'est-ce pas, et des romans policiers : l'essentiel a eu lieu, mais il appert que l'essentiel n'est pas là ; on a filmé la mort, d'accord, mais d'autres films sont possibles. Et c'est là que tout recommence : l'enquête, donc le roman. Conclusion : la fin de l'histoire n'était pas la fin de l'histoire. Existe-t-il jamais une fin de l'histoire ? La Fin de l'Histoire, avec majuscules, les snobs s'en gargarisent, tu les connais comme moi, on n'entend que ça, en ce moment. Mais, une fois de plus, ils se trompent. Il n'y a pas de Fin de l'Histoire, comme le prouve notre affaire qui feint elle aussi d'avoir une fin alors que tout ne fait que commencer, comme je viens de le redire. Mort violente, arme blanche, décapitation : tout y est, c'est le bouquet, à croire qu'il serait impossible d'aller plus loin. Eh bien non ! On peut ! La mort n'est pas la fin, la mort mène une vie humaine, et même une vie sociale. Elle est mondaine, la mort. Sans compter que, grâce à elle, nos histoires, les vraies, démarrent. Et chacun d'y aller de son couplet, et de récit en récit nous obtenons tout un réseau de causes, une logique plurielle, une polyphonie. Ce sera ça, le bouquet, si tu veux mon avis, et pas le misérable assassinat de Gloria. Quand tout le monde aura parlé, on y verra plus clair dans tous les coins et recoins des individus et de la société. De la Société avec un grand S, qui va être radiographiée grâce à ces nouvelles petites histoires, jusqu'à révéler sa vérité hideuse. Ne va pas imaginer que je perds le nord : on démasquera les vrais responsables, ceux qui se remplissent les poches sur le dos des naïfs, qui les abusent, qui leur laissent croire qu'il y a une Fin de l'Histoire...

Ce qu'il pouvait être ronflant quand il enfourchait son dada ! Pourtant, Stéphanie se disait que Larry avait peut-être bien raison, pour une fois. Tout avait déjà eu lieu. Restait à trouver quoi, qui, quand, pourquoi. N'est-ce pas pour cela que nous inventons des histoires à l'imparfait ? Accomplies au présent, l'imparfait les met en forme mais elles le déforment à leur tour. Une seule histoire sera la vraie. On ne la connaîtra pas toujours. Quoi qu'il en soit, l'enquête « sociale » de Larry avait grandement facilité la tâche de Stéphanie Delacour, même si elle espérait aller plus loin.

Rilsky l'avait invitée à dîner. Pas très loquace sur le meurtre. Tant mieux, un peu de repos, quelques chefs-d'œuvre de Menuhin, l'un et l'autre avaient besoin de fuir les paroles et elle apprécia le silence du policier. La confiance : entendre le vide, et une peur commune de l'erreur. Malgré ses mines de vieux troubadour, elle avait envie de lui faire confiance. Sans négliger de mener son enquête à elle. Mais sans le gêner, lui non plus. Pour le moment.

Le meurtre de Gloria était en passe de devenir l'« Affaire Harrison », et tout Santa Barbara était sur les dents. On ne parlait plus que de *ça* – du « dessous des cartes », cela va sans dire. Tout le monde avait son hypothèse, sa certitude, son intime conviction, son secret à ajouter au tableau, décidément encore très flou. Les femmes surtout, cela va de soi. La voisine de palier de Stéphanie, qui l'aurait cru, une de ces femmes qui tricotent dans les trains de banlieue. Ouvrage rose et T-shirt rose, Stéphanie l'avait repérée, comment faire autrement ? L'autre s'était mise à lui sourire par-dessus ses lunettes, jolis yeux noisette, le tricot tressautant en même temps que ses seins nus sous le T-shirt, tandis que le train ramenait Stéphanie après ses enquêtes sur les scandales immobiliers, et la voisine d'on ne savait où.

– Vous habitez chez Bob ? Bonjour !

– Oui, oui, bonjour !

– Je l'ai bien connue.

– Ah !

– Sa sœur, Gloria. Vous aussi ?

– Oui, oui, en quelque sorte, un peu.

– Faites attention, il rôde. Le *serial killer*. Je suis sûre que c'est lui. À quelques *blocks* de notre immeuble, au 76. La blonde du cinquième. Je la connaissais, on allait chez le même coiffeur, au 84. Blonde, elle aussi, comme toutes les victimes. Il lui a volé un tableau, c'est donc le même. Je vais vous dire comment il fait pour éviter le gardien. Eh bien, il passe par les sous-sols où se trouvent les machines à laver, vous connaissez maintenant, cela fait deux semaines que vous êtes dans l'immeuble ; ensuite, il monte par l'escalier de service. Alors, cette femme ne s'est pas méfiée, elle l'aura pris pour le portier quand il a sonné. En tout cas, c'est ce que je pense. Qu'est-ce que vous en dites ?

– Possible.

– Sûr ! Moi, je ne descends plus au sous-sol. Et vous ? Méfiez-vous. Si vous avez du linge, je peux vous indiquer une laverie à côté.

– ...

– Vous ne vous ennuyez pas, à Santa Barbara ? On fait une balade à vélo avec des copines, cet après-midi. C'est à la mode chez nous, le vélo, c'est écolo. Vous venez, on parlera de tout ça ? Et c'est bon pour la ligne.

– Hélas non, pas cet après-midi. C'est très gentil. Une autre fois. Faites-moi signe.

Décidément, le vélo n'était pas son sport. Enfourcher ces espèces de prothèses censées augmenter l'adresse du corps, quelle idée ! Pareil pour la voiture, d'ailleurs. C'étaient des stratégies inventées par des singes industrieux et malins mais qui avaient perdu la souplesse naturelle du chat et l'intelligence musculaire des chevaux. Vous voyez un chat à bicyclette ou un cheval au volant ? Cette répugnance la gênait pourtant, notamment à l'étranger où l'on est censé assurer seul ses déplacements avec les moyens de locomotion courants, et Stéphanie le reconnaissait volontiers : que l'on fût journaliste ou détective, c'était là un handicap majeur. Elle ne se servait d'une voiture qu'en cas de force majeure ; en général, elle utilisait les taxis, prenait des trains, des avions. Pour ce qui était de garder la forme, une bonne heure de natation quotidienne lui convenait parfaitement. Le choc frais de l'eau traverse rapidement la peau et disparaît dans le mouvement harmonieux qui engage d'abord les bras et les jambes, puis le dos, le cou, la nuque, tous les muscles enfin ; il ne reste plus à cette physiologie de surface qu'à se mêler au souffle et au clapotement de l'eau : échange de fluides, de courants... Stéphanie prévoyait justement de se rendre seule à la piscine le lendemain. Voilà ce qui lui manquait : une heure de natation. Non, décidément, pas de vélo.

Les seins roses avaient rangé leur tricot rose. Le train venait de s'arrêter à la station voisine de leur immeuble. Retrouver le confort opaque du cube laser, se cacher, disparaître.

– ... une passionnée. Passion pour son fils... passion pour les hommes... Je vais vous raconter une histoire... Je la croise, récemment, on se croisait souvent, au New's Café. Très fière, mais quand même... Je lui dis... Elle me dit...

Hasard et nécessité des rencontres, l'enquête de Stéphanie marchait toute seule. Fiche après fiche et sans vraiment chercher, elle constituait son propre dossier sur le cas Gloria. Détective forcément inutile, car on voyait mal à quoi pouvaient mener ces détails, menus faits de la vie d'une femme racontés par une tricoteuse rose, bleue ou verte. Tant pis, il n'y avait qu'à laisser l'efficacité à Rilsky, si peu fait pour cela, le cher homme, mais puisque ça l'amusait ! Tandis que Stéphanie s'enlisait dans une obscure et incertaine reconstruction du portrait et de l'existence de la victime.

Passion, avait dit la tricoteuse. Pourtant, vécue dans le secret comme une consomption, cette passion destructrice avait donné à Gloria une apparence altière, presque heureuse. À part Odile, qui avait droit à ses fugaces confidences, et Stéphanie, qui imaginait en silence, nul ne se doutait que Gloria était un masque déposé sur une plaie. À Santa Barbara, on la prenait pour une cérébrale, la froideur imbue de succès, une arriviste insolente. Cette impression avait d'abord isolé la jeune mère et l'avait confortée dans sa réclusion : aucune femme, autant dire personne n'avait jamais rien eu à dire à cette riche héritière entichée de ses traductions et de son peintre d'avant-garde.

À la naissance de Jerry, il est vrai, quelques-unes s'étaient empressées : visites, cadeaux, confidences. « Comment vas-tu ? », « Comment va-t-il ? », « Tout va-t-il bien ? », « Il paraît qu'il y a un problème ? », « Est-il vraiment normal ? », « Il paraît qu'il est hémiplégique, psychotique, autistique, narcissique, fou ? », « S'en sortira-t-il ? », « S'en sortira-t-elle ? » Les amitiés avides se nourrissent de malaises partagés. Gloria n'aimait pas vraiment, et même pas du tout. Résultat : on l'avait laissée tomber. Les pseudo-copines pseudo-attentives avaient disparu pour de bon. Puis elle n'avait pas vu le temps passer. En quelle année était-on ? Elle n'avait jamais été sûre de le savoir. Le jour, l'heure – ça oui ! Mais l'année ? Le temps se mesurait en « avant » et « après » Jerry. Rien à voir avec la traumatique naissance de Jésus qui, elle, avait ouvert un calendrier, donc un temps nouveau et apparemment indélogeable malgré quelques notables tentatives de sabotages. Non, tout simplement le temps s'était arrêté pour Gloria, ou plutôt il avait gonflé en volume, à force d'actes et de tendresse. Chemin faisant, des événements s'étaient déroulés, des modes étaient venues et s'en étaient allées, des femmes avaient balayé l'Histoire avant de se faire balayer par l'Histoire : Gloria s'en était à peine aperçue, protégée en quelque sorte par son retrait et par la disparition de ses amies.

Cette distance avait tourné à la détestation lorsque la mode locale avait abandonné le culte surfait des *professional women* pour s'en revenir au marivaudage. Les féministes d'hier, groupies locales de Simone de Beauvoir et ferventes pétitionnaires pour Angela Davis, fatiguées de tant d'efforts sans récompense, s'étaient mises à réhabiliter – dans leur vie comme par l'écriture – les charmes parfumés des alcôves et les doucereux poisons des amours adultérines. Ces « nouvelles libertines » (les supermarchés avaient eu vite fait de trouver l'appellation du produit) s'étaient ouvertes à la confession, sans crainte du ridicule, ce qui ne les avait pas menées bien plus loin que l'aveu de leur vice, petit péché mignon qu'on désignait désormais par le mot plus moderne de « désir » pour un Amant inavouable et néanmoins avoué. Les amants s'étaient donc mis à fructifier sous les plumes féminines avec leur cohorte d'adorations sans nécessité, de fuites par fierté, de ruptures désolées, de réconciliations sans motifs mais sans conditions. S'y étaient ajoutés le *hard sex* sur fond de larmes ravalées, et enfin les propos de ces messieurs, fous – paraît-il – de l'existence de leurs maîtresses, elles-mêmes tout aussi folles de la leur. Quelle authenticité ! Quel courage ! Quelle transgression !

On avait senti trembler les fondements de la société du spectacle, l'édifice du nouvel ordre mondial lui-même s'était laissé fissurer par cette « origine du monde » enfin exhibée et glorifiée ! Mieux que la fabuleuse « vieille taupe » appelée jadis à ronger les racines du capitalisme, le désir – le désir féminin, par-dessus le marché (c'était le cas de le dire) – avait menacé enfin de subvertir par-delà une Europe décadente où nul n'ignorait qu'il ne se passait plus rien, le *statu quo* de Santa Barbara soi-même, et jusqu'à la barbarie humaine dans son ensemble. Rien de moins !

Car, bien entendu, les romanesques amants de ces dames s'étaient révélés des étrangers, parfois des ouvriers, de toute manière socialement et linguistiquement inférieurs aux parleuses et aux conteuses, mais si désirables, si irrésistibles. Quand ce n'étaient pas de jeunes génies encore méconnus que leur âge mûr et leur savoir-faire à elles se faisaient fort de promouvoir et de réhabiliter. Le sceau de l'éternel féminin ! La grâce maternelle si particulière qui sait se faire toute petite pour devenir ainsi – et ainsi seulement – la puissance indispensable, le pouvoir suprême. La presse était tombée en extase, et Larry Smirnoff en personne avait fait une infidélité à sa rubrique politique habituelle en publiant directement dans les colonnes du *Matin littéraire* plusieurs papiers – que la rédactrice de ce supplément n'avait pas hésité à qualifier de « vraiment révolutionnaires » – pour louer l'audace inouïe de ces femmes, jeunes et moins jeunes, qui avaient osé braver le conformisme ambiant et revenir (enfin ! quel soulagement !) à leur *désir*.

Ainsi émoustillée, la torpeur de Santa Barbara s'était de plus en plus éloignée de l'invisible drame dans lequel se débattait cette pauvre Gloria. Le vaudeville vécu, raconté ou imprimé paraissait, à son esprit préoccupé, tout bonnement simplet ; elle disait : « minimaliste ». « Trop refoulée ! » diagnostiquait-on dans les remous de la nouvelle vague, quand cette vague daignait remarquer les humeurs atypiques de la traductrice, ce qui arrivait de plus en plus rarement. Et Gloria de se replonger dans ses activités industrieuses, femelle coriace consacrée à Jerry, quand ce n'était pas à la traduction d'un livre drôle mais boudé par la presse locale à sa sortie en américain. *Le Sein* de Philippe Roth lui était tombé dessus, conjointement avec ce qu'elle avait pris pour une consécration, la chance de sa vie : les *Sonnets* de Shakespeare. Et cela avait suffi pour la dérider tout en la soustrayant définitivement au temps. « Quel honneur, mais quel boulot ! Il faudra sortir le santabarbarois de ses gonds, tordre les phrases, choquer les métaphores... Enfin, pas trop, les gens ressentent les nouveautés dans leur langue comme autant de gaffes... »

Naturellement, Gloria avait recherché la complicité de son éditeur. Tout aussi naturellement, celui-ci lui avait laissé clairement entendre qu'il s'en fichait, séduit comme tout le monde par les vrais-faux aveux de ces dames, par les ronronnements flattés de ces messieurs, par les flagorneries des deux sexes étalées dans ce qu'un quarteron de nostalgiques continuait encore à tenir pour important, à savoir les livres. « Aujourd'hui on ne vend plus de livres, ma chère enfant ! (Il lui tapotait l'épaule comme pour en épousseter quelques miettes.) Pas de romans, pas de poèmes ! On vend des secrets, on vend du sexe, on vend de la vie ! » Gloria repoussait d'un sourire docile ces revers de main supposés lui témoigner de la sollicitude, et retournait à sa traduction des *Sonnets* dont des générations d'historiens n'avaient cessé précisément de dévoiler les fondements biographiques aussi piquants qu'incertains, mais dont elle s'amusait à saisir seulement la magie verbale pour l'injecter dans des équivalents santa barbarois.

C'est dire que le fossé ne cessait de se creuser entre la traductrice et la société locale, sans même que l'intéressée s'en aperçût. Mais Stéphanie Delacour n'était pas journaliste pour rien, et, détective à ses heures, elle commençait à entrer dans le film.

9.

Proximité envahissante de Gloria. Mauvais signe, pour une détective. Aucune objectivité. Mieux valait renoncer, nager, oublier. Se refaire une santé avec un peu de gin et de Mozart dans le cube-laser au-dessus de la Rivière. Dormir, puis expédier le reportage à Paris plutôt que de se laisser étouffer (hé oui) par cette adorable mais trop encombrante amie. Décidément, impossible d'aimer une femme pareille.

Quand il n'est pas saturé d'actes, quand il est livré à sa courbe naturelle, le temps s'élargit. Une journée se dilate et prend les dimensions d'une saison, d'une année : l'aube s'étire et se confond avec la longue fraîcheur du printemps ; la clarté du soleil mûrissant occupe de larges mois d'été ; le calme en fin d'après-midi n'en finit pas de piétiner vers le coucher comme un automne hésitant et fané ; tandis que la nuit creuse sans relâche des angoisses hivernales sous les menus faits du jour.

L'attente confond les rêves, d'autres rêves en attente refont surface. L'un d'eux – toujours le même ? – hésite à se colorer ou à se décolorer : tableaux de cette nuit, depuis la mort de Gloria ? ou de toujours ? Enfin, aujourd'hui elle le tient. Car on n'est pas « soi » lorsqu'on rêve ; un autre « soi » s'éveille sous les paupières, en rêvant je suis une autre, en rêvant je parle d'elle. « Je » n'est qu'une perspective d'« elles » empilées dans mes rêves.

Elle, Stéphanie, est couchée dans un lit qui pourrait bien être un triple cercueil. Sa mère, à côté, dort paisiblement – parfum de lait et de miel, mousse de ses seins –, olfactive et tactile, génitrice d'un bébé encore aveugle. Un peu plus loin, séparé de Stéphanie par le corps infranchissable de cette mère, un homme au visage malade, l'homme de douleur implorant pitié devant une invisible menace. La menace ne figure pas dans le rêve, le rêve l'efface – ou plutôt le rêve s'efface, la rêveuse a zappé.

Sur la chaîne suivante passe un film insignifiant que la rêveuse ne retient pas, elle zappe de nouveau : même effet, réveil. Reste le visage de cet homme. Son père tué à l'hôpital ? Goyesque victime des hommes transformés en loups. Depuis combien d'années déjà ? Le cauchemar ne cesse de revenir, plus ou moins le même, et la même culpabilité. Du père ou de la fille ? Le rêve zappe.

Cette fois-ci, l'homme a changé. Son angoisse de guerrier barbu lui peint des yeux suppliants, ses traits révulsés fuient les deux femmes tandis que sa tête ploie sur son épaule gauche où un ruisseau de sang inonde le matelas. Volumes rouge ocre, le pathos du Caravage.

En zappant encore, mais toujours dans le rêve, Stéphanie se souvient : ce visage qu'elle ne peut voir, car il se détourne, la rêveuse le regarde cependant de haut, comme penchée sur la tête horrifiée, sanglante. Artemisia. La rêveuse n'est pas Stéphanie, mais Artemisia Gentileschi occupée à peindre sa Judith égorgeant Holopherne.

Le rêve de Stéphanie et le tableau d'Artemisia : des images virtuelles qui se contaminent. Deux femmes s'acharnent sur le corps couché du général assyrien : la servante au visage blasé et une Judith farouche, flottant dans sa robe de brocart. Un suave velours cramoisi enveloppe les cuisses écartées de l'homme, contrepoint de l'empoignade confuse de leurs six bras qui, côté tête, perpètrent comme un interminable viol. De tout son poids, la servante immobilise la victime tandis qu'un violent mouvement emporte Judith à la marge droite du tableau : de sa main droite, la souveraine plonge une épée dans la gorge offerte, de sa main gauche elle cloue au lit la tête mâle. Nulle horreur dans les traits de la meurtrière. Seule la rigide réserve de son corps, s'écartant du sang qui gicle, trahit quelque dégoût. Sa face, en revanche, dépeint la concentration d'une mathématicienne ou d'une biologiste ou d'une chirurgienne qui, dans l'effort, savoure déjà sa victoire. Celle du savoir absolu ? Du peuple d'Israël ? De la femme sur l'homme ?

Pas une féministe de la Belle Époque qui n'ait scruté les détails du carnage pour applaudir aux talents d'Artemisia et à l'exploit de Judith. Sans oublier le scandale que fut, paraît-il, au début du XVIIe siècle, le viol de la même Artemisia par un peintre de l'atelier paternel, un dénommé Orazio qui, dénoncé bien tard par le père de la violée, fut traîné en justice avant que les amants ne se réconcilient, semble-t-il, assez mystérieusement, dans la foulée du procès. Affaire douteuse s'il en fut : maître et disciple, père et fille, violeur et violée, qui viole qui ? Artemisia fut-elle une putain, un jouet ou un génie ? Sans doute tout cela à la fois, quelle importance ? L'important est qu'elle peignit comme nulle autre femme ne le fit avant ou après elle, et qu'elle ne peignit pas n'importe quoi, mais bel et bien un homme violé, mieux : décapité par sa propre main à elle, la géniale Artemisia ! À moins que ce cruel spectacle ne soit tout bêtement monté par notre rêveuse en personne, Stéphanie...?

Stéphanie qui pense que son rêve est absurde, comme tant d'autres, probablement la plupart. La preuve : Stéphanie, elle, n'a jamais été violée, aucun de ses amants ne l'a même maltraitée, et son père à elle, Stéphanie, était la douceur faite homme, un saint – aucun conflit, aucune jalousie. Encore qu'on ne sache jamais où peut aller se nicher la passion d'une fille pour son père, et vice versa, à en juger par ses mains à elles, Stéphanie, qui ne cessaient de transpirer pendant que le commissaire Rilsky prenait un évident plaisir à prolonger l'attente, que la mise en scène de l'interrogatoire des convives n'en finissait pas, que l'air chargé de poussière et d'odeur de roses pourrissantes dans le crépuscule emplissait la gorge d'un vague dégoût, qu'elle était hantée par ce rêve qui la fuyait mais qui maintenant se livrait enfin, rouge sang et or, dans les cascatelles incendiées du cube-laser.

Non, le sexe n'avait jamais été du viol pour Stéphanie, quoi qu'eussent pu prétendre ses amies féministes au nom de l'humanité, ou plutôt au nom de la féminité ; c'est même là-dessus qu'elle avait dû se séparer d'elles. Jamais de viol. Jamais. Au contraire : secret, ivre, velouté. Cœur gorgé de sang dans un portrait de béguine. Fleurs offertes au ciel sous le pinceau de Georgia O'Keefe. Fragrances devenues tactiles dans les pages de Colette. Stéphanie savait reconnaître dans les œuvres des autres ce plaisir sans nom que lui donnaient, à elle, les hommes. Et qu'elle aimait préserver, voilé, insulaire.

Par hasard, sans doute, sa plus grande passion s'était abritée dans les îles : Corse, Corfou, Martinique, Ré. Plaisir sans mesure ni lendemain. Ils le savaient tous deux. Lui, parce qu'il avait sa vie à Lui, qu'il n'était pas question de bousculer. Elle, parce qu'il l'avait touchée en cet endroit inaccessible que les femmes appellent généralement leur « cœur », l'invisible point où l'utérus s'ombilique à la noirceur de l'esprit. Terrain propice à l'esclavage, à moins qu'une fierté démesurée n'en protège. Stéphanie s'était inventée fière. Les hommes ne saisissent pas jusqu'où peut vous mener leur sexe dressé lorsqu'il emplit votre ventre humide, en gonfle les parois, le fait s'ouvrir, l'abouche à l'anus palpitant, grise de sang le clitoris : un seul et même abîme irisé. Les femmes savent feindre cette étendue qui s'annule avec un homme absorbé par son organe. Mais Lui la devinait vraie et ne s'en lassait pas. Elle ne pouvait l'appeler autrement que Lui : une ellipse par fidélité à une mémoire dont ne subsistait plus qu'une lumière calcinée. Comme un paysage démultiplié de points de vue dont on ne retient qu'une ombre.

L'opulente verdure de Corfou, les rosiers grenat et les clématites odoriférantes couvrant les murs de brique de la chartreuse, l'averse de l'ouest poussant les grappes bleues par la fenêtre ouverte avec l'air mauve et salé. Sa bouche à lui sur ses seins à elle, et sur ses yeux captifs des amarantes. Encore : le dos contre la terre d'une crique rose, en Corse, ou au bord des parcs à huîtres en Ré, une fragrance de citronnelle et de lavande. Lui la comblant partout, sable, sel et sperme amalgamés. Encore : un nuage orange étiré comme le museau d'un renard au-dessus de Fort-de-France, les touffes d'alpinias rouges et les muqueuses obscènes des anthuriums contre ses lèvres tandis qu'il augmente lentement en elle. Non, je ne lui ai pas dit que j'avais gardé l'enfant. À quoi bon, tout était clair entre nous, et j'avais envie d'une joie incarnée. Je n'avais besoin ni de Lui ni de la durée, ni d'un projet ni de lendemains, ni d'amour ni de soucis, ni de vieillesse assurée, toutes choses qu'imaginent les femmes quand elles veulent un enfant. Simplement, rendre présent hors de moi ce qui palpitait au-dedans lorsqu'il m'habitait sous les clématites mauves, dans les draps de sable salé ou à la lueur du nuage au museau de renard. Ça ne se partage pas. Il n'en a rien su. J'aurais pu être une mère seule et heureuse, ou bien malheureuse – c'est toujours la même mère. Quand on est enceinte, on ne pense pas aux corvées, aux angines, aux méningites, à la dyslexie ou à la polio. On essaie de ne pas y penser, on pense à autre chose. Car, précisément, autre chose devient enfin possible.

Lui n'en aurait rien su, et, de toute façon, il n'y avait rien à savoir. La médecine ne cessant de progresser, capable de prévoir, sinon de prévenir l'avenir, celui-ci se résumait le plus souvent, surtout quand on ne s'y attendait pas, en malformations... quoique pas nécessairement, mais des horreurs pouvaient survenir, parfois tardives, toujours dramatiques... même si, sans cette médecine-là, les choses eussent été encore plus insensées – on avait découvert au septième mois de sa grossesse que Stéphanie avait été atteinte d'une toxoplasmose. Toxo quoi ? Toxine, poison, forte probabilité d'atteinte cérébrale, avortement thérapeutique. La douleur exorbitante d'un accouchement forcé, d'un accouchement de *rien*. Corfou, Corse, Martinique, Ré évacuées dans les bassines de la clinique, ou récupérées pour les besoins de la biotechnique, on ne saurait jamais, quelle importance. Ainsi, de la décollation, elle avait eu sa dose.

Il avait fallu, après, tout l'orgueil et l'addiction au travail d'une Stéphanie Delacour pour se remettre de ce carnage. Il avait fallu un an. Au moins. Seul Bob Harrison s'était peut-être douté de quelque chose. Bob et Lui étaient amis intimes. Aucune allusion, bien sûr. Elle avait essayé d'éviter les retrouvailles. De fait, une sorte de viol avait eu lieu. L'œuvre d'Artemisia n'était pas étrangère à la rêveuse, à cette histoire qui l'avait possédée et que personne ou presque ne connaissait. Mais qui avait été violé ? Stéphanie ? Elle souffrait encore de son corps accouchant de rien, charcuté pour rien, comme les amputés souffrent de leur membre manquant. Lui ? Doublement violé de ne pas avoir su et d'avoir eu un enfant mort-né, mort pas né, non mort pas né, comble de la négation, annulation de Lui et de l'enfant. Le père, le Père, son propre père à elle ?

– Quel rapport avec le profil de papa, tout de même ? Le général assyrien décapité : papa, Lui ou moi ? Mais alors, qui tient le couteau ? Artemisia, Judith, ou moi, toujours moi ? Encore heureux que Gloria ne l'ait pas invité, Lui, à ce fatal dîner du samedi 15 ; le tableau en aurait été définitivement brouillé. (Stéphanie, se forçant à réfléchir : rien ne chasse mieux un mauvais rêve qu'un petit exercice de réflexion.)

Un rêve épuisant, arrêtez ! Il y a bien plus d'une femme décapitée dans les tableaux de nos vies, mais j'en connais dont les désirs sont si violents qu'ils retournent la réalité et la peignent elle-même en virtuose, émule d'Artemisia. Ce qui n'est pas non plus un rôle de tout repos, loin s'en faut !

Stéphanie en avait assez des tableaux de maîtres, elle se laissa enfin couler dans le sommeil avec l'impression de comprendre pour une fois Northrop Rilsky qui accusait la peinture d'être un art trop lent. Hé oui, c'est bien vrai, cher Northrop, et nous irons même plus loin, Commissaire : elle n'est pas seulement lente, la peinture, elle est immobile, anachronique, elle est hors temps, pur temps incorporé, surtout en rêve. Rêvons-en !

10.

Michael Fish commit une seule erreur : il décrocha le tableau de Jerry.

Quand il sentit Gloria s'amollir, sans souffle ni réaction, il comprit. Le cœur avait cessé de battre. Était-ce vraiment ce qu'il avait cherché ? À première vue, pas vraiment. Lui faire peur, ça oui, mais de là à... Enfin, pourquoi pas. Il était à Londres, après tout, et, même sans cela, personne n'irait soupçonner l'amant idéal d'avoir assassiné sa maîtresse. Elle venait de lui confirmer ce qu'il n'arrêtait pas de lui réclamer depuis des mois, enfin presque : elle lui léguait la moitié de ce qu'elle avait. Une belle surprise, quand même. Et un paquet. Il s'y attendait. Bon, ça pourrait constituer un mobile. Mais, puisqu'il ne s'agissait que de la moitié, il n'y avait pas forcément de quoi motiver un meurtre. D'accord, la reddition l'avait excité quand Gloria lui avait annoncé ça de but en blanc, sans prévenir, pendant qu'ils faisaient l'amour, toujours offerte, toujours plus, après une discussion assez violente – mais elle en avait l'habitude, Gloria, de ces discussions. Peut-être s'était-il montré un peu plus brutal qu'à l'accoutumée, possible, on ne mesure pas toujours ses gestes, dans ces moments-là. « Meurtre inconscient, éventuellement préconscient », aurait diagnostiqué Zorine. Mais il ne dirait rien, cette fois-ci, parce qu'on ne lui demanderait pas son avis, il n'y avait que Gloria pour harceler le professeur et lui soutirer ses fameux avis, pour un oui, pour un non, au sujet de Jerry pour commencer, à tout propos pour finir. Or, il n'y avait plus de Gloria. Restait ce rendez-vous, fort compromettant pour Fish, que la morte (Michael était bien obligé de le constater) avait eu avec son notaire, le samedi matin, et qu'un commissaire opiniâtre pourrait bien invoquer comme un motif suffisant pour que ledit Fish se débarrassât de ladite Gloria Harrison. Mais personne n'était censé être déjà au courant, pour le testament. Michael encore moins que les autres, puisqu'il était à Londres, comme il se tuerait à le répéter à l'enquêteur éventuel. Si ce n'était pas un alibi, ça...

Pas superflu, quand même, de prendre quelques précautions. Essuyer les empreintes, par exemple. Impossible de les effacer toutes, mais, après tout, il habitait cette maison, non ? Il était normal qu'il y eût des traces de sa présence. Camoufler vaguement l'accident : voler le Picasso de Jerry, entre autres. Personne n'irait supposer qu'un spécialiste de l'art moderne avait dérobé un faux Picasso, on soupçonnerait naturellement un amateur, débile.

Il s'avisa néanmoins d'ajouter à cet objet insignifiant quelques petits formats peu encombrants mais désormais fort appréciés de Stan Novak. Une vraie valeur, ces tableaux-là, entièrement due à lui, Michael Fish, Gloria était la première à le reconnaître malgré sa stupide obstination à jouer les mères poules et à vouloir tout garder pour l'hypothétique avenir de son fils, au lieu de se laisser aller à être une vraie femme. Il entassa tout ce qu'il put dans le coffre de l'Audi, s'assura que les lumières étaient partout éteintes. D'habitude, Hester était lessivée, après les dîners, et ne se levait qu'assez tard, le dimanche, tandis que le petit Brian, malgré toutes ses aptitudes intellectuelles et mondaines, souvent bien utiles au demeurant, n'avait pas la santé pour passer des nuits blanches. Sur ce, Michael Fish partit rassuré. Il lui suffisait de s'absenter quelque temps : Monsieur n'était-il pas toujours en déplacement, entre Londres, Lima ou New York ? Notre couple traversait une crise, voyez-vous, je voulais me faire oublier un peu. Puis, un beau jour, téléphoner, télégraphier... Quelle horreur ! J'ai appris la nouvelle par les journaux. Bon Dieu ! c'est impossible, j'arrive ! Une catastrophe, le deuil, et puis l'oubli.

Michael Fish avait passé la frontière le dimanche vers midi et, de Santa Monica où il disposait d'une base solide et de nombreux amis, il avait pris le premier vol pour l'Amérique latine. Non que les autorités de Santa Barbara fussent très scrupuleuses, mais, pour certaines combines, les réseaux internationaux étaient nettement plus intéressants. Une filière fidèle à l'homme d'affaires fermait les yeux depuis des années sur ses allées et venues, le laissant entrer et sortir du pays sous de faux noms, lui permettant de faire transiter sans problèmes ses diverses marchandises.

Le marchand de tableaux était grand, solide et sec. Un visage osseux et buriné de marin, une pomme d'Adam qui remontait à chaque déglutition tandis que ses cils noirs détonnaient sous des sourcils décolorés par le soleil. Ses cheveux coupés court, sa voix rauque de fumeur porté sur les alcools glacés, ses yeux clairs qui rendaient au monde toute sa simplicité, lui conféraient cet air de séducteur provincial qui plaît à certaines femmes parce qu'il trahit une infériorité rassurante. Rusé, gourmand, hyperactif mais lent, il ne se refusait rien et aurait pu prendre de l'embonpoint, la cinquantaine approchant, n'étaient sa taille et quelques parties de tennis quotidiennes. Sa force physique avait toujours dépassé sa force psychique. Révélant une personnalité caractérielle dès le plus jeune âge, il avait su utiliser ce déséquilibre en montant des affaires à la fois risquées et louches, grâce à une brutalité naturelle et à un flair très sûr pour détecter précisément l'absence de brutalité chez l'adversaire. Achats d'entreprises en faillite, transferts de capitaux douteux, liens probables avec la mafia, sur lesquels les dirigeants santabarbarois de tous bords fermaient pudiquement les yeux sous prétexte de ne pas entraver le renouveau économique du pays. Les femmes ne l'intéressaient pas au premier chef, mais il savait s'en servir pour parvenir à ses fins au jeu de la spéculation : une sorte de roulette russe, l'ivresse de gagner pour perdre et de perdre pour gagner, qui vous donne l'assurance fugace mais intense d'être au-dessus du lot commun des humains, surhumain. Car il lui arrivait souvent de perdre avant de remonter la pente au gré d'amitiés nouvelles et de brusques changements de cap. Après l'exportation de vins, de papier, de parfums – ceux-ci l'ayant mis en contact avec les cercles raffinés de la mode et de l'art –, Michael Fish s'était lancé dans le marché des toiles, par Gloria interposée, sans renoncer d'ailleurs à ses trafics antérieurs. Il se plaisait vraiment dans ce dernier rôle d'homme d'affaires distingué. Mais la gourmandise qui stimule le goût du risque ne le mettait malheureusement à l'abri ni des imprudences, ni du mauvais goût.

Le papier de Smirnoff dans *Le Matin* l'informa qu'un mandat d'arrêt était lancé contre lui ; le commissaire Rilsky le comptait parmi les suspects. Fish renonça donc à faire l'amant repenti et le veuf éploré, et décida de rester à Cali où il ne risquait pas grand-chose, compte tenu de la bienveillance de ses amis de Medellín.

C'était là, dans cet état d'impunité qui envahit le vulgaire, fût-il joueur, lorsqu'il a su déjouer quelques pièges, que Michael Fish avait décidé de se défaire du faux Picasso. Qui s'en serait aperçu en Colombie ? L'acheteur, tout aussi impatient et intrépide que le vendeur, l'avait écoulé sans délai, sans se poser de questions, dans un émirat qu'il avait l'habitude d'escroquer mais qui, maintes fois échaudé, se faisait fort, depuis peu, de démasquer les brebis galeuses grâce aux bons conseils des Américains. L'interrogatoire de Zorine à peine bouclé, Rilsky avait lancé Interpol aux trousses de *La Femme à la collerette*. La filière américaine spécialisée dans le dépistage des faussaires étant, pour l'heure, plus efficace et plus appréciée par les amateurs d'art et les banques sérieuses que le cartel de Medellín, ses agents avaient eu bien vite raison des malfrats de la cocaïne, et Fish avait été arrêté fin novembre. Sous le nom de Peter Moor, il dirigeait une entreprise d'import-export, anodine couverture pour le blanchiment de l'argent de la drogue.

Rilsky ne résista pas au plaisir d'une confrontation entre Fish, Hester Bellini et Wat. Dans la gamme soigneusement sélectionnée de ses complets commémoratifs des acteurs hollywoodiens de sa jeunesse, il avait prélevé ce jour-là un costume qui osait une rayure grise sur l'alpaga noir, et le tranchant d'une chemise blanche qui lui donnait plus que les autres l'air cérémonieux d'assister à un spectacle d'opéra. Cette élégance incongrue camouflait l'effort de volonté qu'il s'infligeait pour noyer son émotivité d'adolescent. « De la tenue, c'est tout ! Il faut se tenir », confiait-il pudiquement à Stéphanie, qui en convenait. C'était même pour ce genre de raisons subtiles qu'ils s'entendaient. Ainsi, il n'en restait rien, de la sensibilité du commissaire, si ce n'est quelque chose comme un petit lapin noyé, et même pas de lapin du tout : un terrier vide dissimulé sous le veston d'Humphrey Bogart, cette fois-ci. Du fond de cet abri, il pouvait apprécier la situation : l'homme assis en face de lui était capable de tuer. Pas franchement, mais froidement. Fish ne possédait pas cette secrète chaleur qui rend séduisants les libertins dépourvus de génie. Rien qu'un animal privé de dieu, une conscience immergée. Avec ce genre de médiocrité qui ne recule devant rien, le marchand d'art était, à sa façon, une sorte de héros des temps modernes, star type de la populace.

– Un accident, ça arrive ! Elle avait pris ses pilules, elle était sonnée, quoi ! Et puis voilà ! Après, on panique, c'est humain, pourquoi ferais-je exception à la règle ? Bon, j'ai pris les tableaux, d'accord. Mais, après tout, sans moi, elles ne vaudraient pas un clou, ces croûtes, et ce n'est quand même pas un crime, non ? (Pas rasé depuis plusieurs jours, maigre et fatigué, Fish, cette fois, avait apparemment touché le fond.)

– Vous héritez du patrimoine de la victime en cas de décès, me suis-je laissé dire ? (Rilsky n'eut pas la mesquinerie de mentionner le tableau de Jerry qui avait facilité leur rencontre, puisque c'était grâce au faux Picasso que le commissaire avait retrouvé la trace du coupable.) Vous êtes le principal bénéficiaire du meurtre.

– À moitié seulement ! L'autre moitié va au fiston et au frangin, Jerry et Bob. Vous ne les avez pas arrêtés, eux ! Ça, c'est le premier point. *Secundo,* j'en savais rien, moi, du testament de Gloria. C'est vous qui venez de m'apprendre son existence. D'ailleurs, mon avocat m'a dit qu'il avait été enregistré le lundi, ce foutu testament, alors que la mort... enfin, l'accident date de la nuit du samedi au dimanche. (Fish se débattait pour remonter à la surface.)

– Il ment, monsieur le Commissaire, il était au courant : j'ai entendu Madame lui parler du notaire. (Les boucles d'Hester étaient toutes fraîches, leur propriétaire avait recouvré sa voix de tête, et elle criait comme dans l'oreille d'un sourd.)

– Non, mais de quoi je me mêle ? Vous voyez ça ? L'ombre de sa patronne bien-aimée, l'oreille toujours collée aux portes, l'œil vissé aux trous de serrures ! Toujours à fouiner dans les draps, les slips, les chiottes, partout, hein ? (Fish tel qu'en lui-même.) Elle mélange tout, Commissaire, elle parle d'une dispute que j'ai eue avec Gloria, au cours de laquelle on a dû mentionner le notaire, le testament, etc., mais c'est une vieille histoire, puisque ça faisait déjà trois jours que j'avais quitté la maison.

– Moi, je ne l'avais pas encore quittée, monsieur, et j'ai tout entendu de la chambre d'enfant, au rez-de-chaussée, quand vous êtes revenu en pleine nuit pour faire peur à Madame, comme d'habitude. Peut-être bien que ça ne se fait pas, d'écouter aux portes, mais, en fin de compte, ça peut se révéler utile, vous voyez. (Hester recouvrant soudain la mémoire qu'elle avait perdue le jour de son arrestation. Rilsky songea que, même si elle mentait, ses souvenirs étaient assez plausibles.)

Il suffit d'écouter les voix pour comprendre, pas besoin de voir les visages ou d'interpréter les paroles. La constriction des cordes vocales féminines, ce son sec et dur qui vous perce le tympan : une mélancolie qui combat la crise de larmes par des accès de haine. Le relâchement nasillard des graves, chez l'homme : un ton qui descend très bas dans la gorge, rejoint le sphincter anal, l'ordure. Brian Wat, lui, avait deux registres : l'un, aigu et policé, d'obsessionnel ; l'autre où grasseyait une voix moite, insaisissable. Face à ce personnage, Rilsky éprouvait l'étrange envie d'aller ouvrir les fenêtres. Ses apparences de documentaliste rassuraient comme la présence d'un ordinateur : un ventre bien rangé, quantité de tiroirs, d'étiquettes, de dossiers, pour ordonner et ranger tout ce qui a été avalé. « *Mieux est de ris que de larmes écrire, pour ce que le rire est le propre de l'homme.* De qui est-ce, monsieur Wat ? – Vous plaisantez, madame Harrison. Rabelais, les yeux fermés ! – Et ceci : *La mort le fait frémir, pâlir,/ Le nez courber, les veines fendre,/ Le col enfler, la chair mollir ;/ Jointes et nerfs croître et étendre./ Corps féminin, qui tant est tendre,/ Poli, jouet, si précieux,/ Te faudrait-il ces maux attendre ?/ Oui, ou tout vif aller aux cieux ?* – Villon, naturellement, celui des *Frères humains qui après nous vivez,/ N'ayez les cœurs contre nous endurcis...* – Bon, un peu plus difficile, maintenant : *La chambre des pardons, aucun homme sage ne la ferme,/ Car pardonner est belle victoire de guerre.* – Difficile ? Mais c'est une rime de Dante, madame, cela va de soi ! – Pour le dessert, à présent : *In Xanadu did Kubla Khan... – ... A stately pleasure-dome decree :/ Where Alph, the sacred river, ran/ Though caverus measurless to man/ down to a sunless sea.* – Coleridge, voyons ! – Et pour le café : *Ya pomnyu tchoudnoyé mgnovyenyé, peredo mnoy yavilas tui, kak gyenyi tchistoy krasotui.* – Pouchkine, aucun doute ! – Et le dernier : *The writer must teach himself that the latest of all things is to be afraid and, teaching himself that, forget it forever...* – Enfantin : Faulkner, bien sûr ! » Il était incollable, Wat, même sur des devinettes beaucoup plus difficiles que celles-là, que Gloria s'amusait à lui poser pour meubler l'ennui de ses dîners. Pourtant, Rilsky entendait simultanément l'autre musique : fausse, parce que trop basse, discordante, désaccordée, persécutée. Le ventre trop bien rangé révélait à l'oreille du commissaire sa vraie fonction de poubelle : une cavité moisie, répugnante.

De tous les convives du dernier dîner, Brian Wat semblait le plus affecté par le meurtre. Il avait tout perdu. Son côté ordinateur, réellement utile à Gloria, se retrouvait en panne. Son côté peine-à-jouir était privé des bons offices d'Hester, laquelle s'était soudain départie de sa façade de fille moderne, quoique inculte, pour retrouver des réflexes primitifs de paysanne : un malade comme Brian portait malheur dans une maison, voilà ce qu'elle pensait de lui à présent. Son emploi de *go-between* payé au noir n'était plus de mise. Il s'était vendu à Bob, à Gloria, à Michael Fish, et ceci pour des services pas toujours conformes à la loi, mais c'était bien fini. Aux rituels d'antan succédait la déroute : trêve de rangements, le désordre se soldait par une cascade de crises doublées d'un irrépressible sentiment de persécution. Tout irritait maintenant l'étudiant nerveux et querelleur qui ne cessait de chercher une bête noire, un sombre complot, des machinations. On en voulait à l'existence de Brian Wat, c'est-à-dire à son honneur et à sa vie. Mais qui, on ? D'abord les femmes : toutes les femmes, créatures intéressées et dominatrices, aux ordres d'une nébuleuse toute-puissante. Le cadavre de Gloria, le savoir-faire d'Hester n'étaient qu'apparitions de sorcières. Puis la menace s'était confondue avec la personne de Michael

Fish – le responsable majeur, le meurtrier de l'élégante Mme Harrison, le maître déshonoré qui entraînait lamentablement le valet dans sa chute. « Classique : la paranoïa ne manque jamais de révéler sa source homosexuelle », aurait dit le professeur Zorine s'il avait su, mais, pris par une autre enquête, il ne savait pas et n'avait donc rien à en dire.

– Personne n'ignorait que vous en vouliez à son fric ! Et tout le monde savait qu'elle finissait toujours par vous céder ! Que vous pouviez tout obtenir d'elle, même la vie, même la vie ! (Brian jeta son double registre vocal à la figure de Fish avec une rage telle que le marchand d'art le regarda, interdit comme on l'est face à la folie et qu'on en vient à se demander qui, de soi ou de l'autre, est devenu fou.)

Brian avait raison de s'affoler. L'enquête était en train d'établir sa complicité dans les activités de Fish en Colombie. La mafia de Santa Barbara, impliquée dans divers trafics d'armes, de drogue et d'objets d'art, agissait en relation permanente avec le cartel de Medellín, et Brian jouait les messagers au petit pied entre les deux organisations. Habile au maniement informatique, ferré en langues étrangères, il s'était rendu indispensable, en dépit ou à cause de sa servilité. Son affliction sincère pour la disparition de Gloria, son innocence dans le meurtre ne devaient lui servir à rien : il serait condamné à deux ans de prison pour complicité dans le commerce illégal d'armes et de stupéfiants (le tribunal santabarbarois ne se montrerait pas autrement choqué par le trafic d'objets d'art). « Compte tenu des liens entre la mafia et le gouvernement, on peut s'attendre à voir la peine de Wat se perdre dans les sables des renvois et des pourvois », prédit Larry Smirnoff. Le racisme anti-journalistes de Rilsky céda devant l'évidence d'une pareille hypothèse.

Michael Fish avait donc avoué le meurtre – ou plutôt l'accident, comme il disait –, mais nullement le coup de poignard ou la décapitation. Même Hester n'osait lui mettre sur le dos cette horrible mise en scène.

– Dites-moi, Commissaire, je veux bien porter le chapeau, mais que faites-vous de la tête tranchée et du couteau ? C'est bien ça, non ? Mon avocat me l'a dit : il y a quelqu'un d'autre qui s'est amusé, non ? Qui s'est même vachement bien amusé, on peut le dire ! (Fish comptait sur les « circonstances atténuantes » que constituait l'énigmatique mutilation du cadavre de Gloria pour faire alléger sa peine et reprendre bientôt ses activités lucratives à Bogota.)

– Je crois bien que le couteau y était, monsieur le Commissaire. Puisque j'ai vu la robe de Madame déchirée... à la poitrine. La tête y était, je ne peux pas dire le contraire, mais le couteau aussi, je m'en souviens maintenant. (Hester ne lâchait pas prise, elle le tenait, l'amant de Madame.) Une brute pareille, vous savez, il y a de quoi perdre ses esprits !

– Dites donc, vous ! Ça ne vous gênait pas de les perdre, vos esprits, quand vous veniez me retrouver dans mon lit, une fois la patronne sortie ! Et puis quoi encore ? Je devrais peut-être m'estimer heureux que vous ne m'ayez pas vu partir avec sa tête sous le bras enveloppée dans la tête du Picasso, c'est ça ? C'est pas parce que je suis coincé qu'il faudrait vous croire tout permis. Calmez-vous, ma belle ! (Fish reprenait du poil de la bête.)

« De blanchiment en blanchiment, il se voit déjà blanc comme neige. Et il n'a pas tort, le salaud ! » Larry pavoisait devant Stéphanie : un procès en or que cette « affaire Harrison » qui donnait entièrement raison au journaliste et révélait au grand jour l'étendue de la corruption dans la société contemporaine. « Du tout social ! » renchérissait-il.

Pendant ce temps, Rilsky refermait lentement *Le Matin* et, pour se calmer, écoutait pour la énième fois une cassette de *La Campanella* de Paganini, toujours par Menuhin, bien entendu. Rien de mieux que l'emportement d'un violon acide, impitoyable, pinçant, pour couvrir les croassements des journalistes.

À part ça, si Fish avait bien étranglé Gloria, la décapitation et peut-être même le coup de couteau étaient le fait d'un autre : il fallait donc se ranger à l'hypothèse du *serial killer*. D'ailleurs, le commissaire l'avait déjà acceptée.

11.

– « S'il n'y avait pas de médecins, il n'y aurait pas de malades », a dit quelqu'un. Qu'en pensez-vous, Professeur ?

Le regard apitoyé de Zorine se stabilisa péniblement au-dessus de ses verres demi-lunes pour m'envelopper de la plus vague et de la plus impitoyable des compassions, me convainquant sur-le-champ que je n'aurais pas dû commencer l'entretien par une provocation aussi lourde. Après tout, ce n'étaient ni les psychiatres ni leurs malades qui m'intéressaient mais la réalité politique de ce lamentable pays qui poussait la corruption jusqu'à bafouer les droits élémentaires à la santé, y compris mentale, et à la sécurité – celle des femmes et des enfants en tout premier lieu. Les pots-de-vin, malversations et autres caisses noires avaient fini par lâcher dans la nature un *serial killer* – ou plusieurs – qui, en l'état actuel de l'enquête, était l'agent le plus vraisemblable de la sinistre décapitation de Gloria. Les traces de ce ou de ces *serial killers* remontaient bel et bien jusqu'à l'hôpital Saint-Ambroise, Larry ne s'était pas trompé, de sorte que j'avais décidé d'explorer moi-même la piste, mais pour aller au fond des choses, évidemment.

L'hôpital en soi me dégoûte plutôt, car j'ai horreur de la maladie, en particulier de la maladie mentale. À part ça, je n'oubliais pas que je n'écrivais pas pour moi mais pour un journal parisien dont le public demeurait très sensible à la folie comme révolte ultime contre le conformisme. Certes, la psychanalyse était passée de mode, pour ne rien dire de l'antipsychiatrie, mais – mon rédacteur en chef ne s'était pas privé de me le rappeler, la veille encore, au téléphone – « la folie, ma chère, est toujours d'actualité ; *serial killer* ou pas, mettez-moi quelques kilos d'*Orange mécanique*, une rame, deux rames, comme ça vous vient, j'achète ; enfin, faites à votre façon, n'épargnez personne, on a besoin d'une valeur-refuge pour l'insoutenable et pour le sexe ; la folie fera l'affaire, mais sans complaisance, d'accord ? *L'Événement* n'épargne personne ! »

L'hypothèse « orange mécanique » s'imposait en effet, pas une famille qui ne mourût d'angoisse dans l'attente de son *serial killer*. La tricoteuse rose m'avait abordée dans l'ascenseur en me chuchotant à l'oreille : « Je ne l'ai pas encore croisé, mais j'ai buté sur un cadavre. Je vous jure ! Incroyable mais vrai ! Je rentrais d'une balade à vélo. Vous n'êtes pas venue, dommage ! Il commençait à se faire tard, le crépuscule, voyez ? J'avais la tête qui tournait, la fatigue... Je devais avoir le regard perdu au fond de moi-même, et là, dans un tournant, à l'ombre, j'aperçois brusquement un corps couché en travers de la route. J'ai cru qu'il s'agissait de quelqu'un de malade, d'évanoui, quelqu'un qui aurait trébuché, ça arrive ; j'actionne ma sonnette, trop tard ! Je suis dessus, c'est la chute... Un cadavre. Une blonde –

vous l'avez deviné –, la gorge en sang. Comme je vous le dis. Tranchée ! L'hor-reur ! J'aurais dû appeler la police. Eh bien, figurez-vous que je n'en ai eu ni le courage, ni la force. Vous n'allez pas me juger, j'espère : manque de civisme et tout ça... Je sais, je suis la première à me ronger. C'est la nuit que c'est le plus dur. "T'en fais pas, me dit mon mari, s'il y a du sang sur le cou, c'est déjà trop tard, et puis, l'ordre public n'a pas besoin de toi, un autre passant aura sûrement alerté les flics. Va savoir si le *serial killer* n'était pas encore dans les parages à te guetter, t'as bien fait de filer, sors pas trop." Raisonnable, mon mari, enfin, pour une fois... Vous croyez que j'aurais dû avertir la police ? Je n'arrête pas d'y penser ! Une de ces angoisses... Faites attention à vous. N'ouvrez à personne ! »

Elle m'avait accompagnée jusqu'à la porte du loft de Bob et ne me quittait plus, fredonnant son murmure confidentiel et surchauffé. J'avais promis d'un battement de paupières assorti d'un sourire, puis m'étais empressée de m'enfermer à double tour.

Le soir, cependant, en sortant du parking, ma voiture de location avait percuté un objet bizarre de forme allongée dans le virage mal éclairé du deuxième sous-sol. Je n'avais pu l'éviter et étais passée dessus en enfonçant l'accélérateur. Contrairement à ma voisine en rose, j'avais retrouvé toute ma conscience morale au bout de quelques secondes. Le cœur battant dans l'obscurité, j'étais revenue sur mes pas pour examiner la chose : rien qu'un tapis roulé qui aurait pu en effet cacher un cadavre ; peu probable, toutefois : pas assez gros... Cette preuve de civisme m'avait paru suffisante pour ne point m'attarder à essayer de défaire les nœuds d'un paquet suspect placé de manière suspecte dans un parking désert – les *serial killers* raffolent trop de ces coins-là.

Popov, en revanche, manifestait un enthousiasme débordant pour remonter la piste du psychopathe. Un peu gêné de l'empressement qu'il avait montré au début de l'enquête en accusant tout de go Hester Bellini, histoire de faire voir qu'un fonctionnaire de police n'allait pas se laisser bluffer par les paroles d'un étudiant dérangé, le lieutenant s'acharnait, depuis lors, sur le témoignage de Brian Wat qu'il passait au crible pour la énième fois.

– « La porte-fenêtre », « de l'extérieur »... Bizarre, ça, patron, bizarre... Pourquoi mentionner ce détail, sinon pour se disculper ? Wat sait très bien qu'il se trouvait au contraire *du même côté*, c'est-à-dire dans le bureau de Mme Harrison. (Comme le silence de Rilsky n'indiquait pas une pleine adhésion à son argument, Popov se lança dans un autre.) Il n'y a pas que ça : ces têtes d'oranges pourries, vous les trouvez normales ? Une « présence inutile, encombrante ». Je pense bien qu'elle est encombrante, cette présence... surtout si ce brave Wat en est complice, peut-être même un complice de longue date ! Mais c'est la présence de qui, au juste ?

– Toute la question est là, inutile-de-vous-le-dire. (Rilsky, accablé par le manque d'imagination de son lieutenant. Ce n'était, hélas, pas une nouveauté, et puis Popov pouvait se révéler très efficace si on le chargeait d'une tâche concrète – ce qui n'allait pas tarder.)

– 'nutile, patron, mais là, nous avons plusieurs solutions : si la « présence » en question a bien été repérée le lundi 17 à 9 heures comme le prétend le suspect Wat, il pourrait s'agir en effet d'un rôdeur style *serial killer*, mais pas du nôtre – vous êtes d'accord, patron ? –, compte tenu du rapport du labo qui fait remonter la blessure – enfin, la coupure ou ce que vous voudrez – à dimanche en fin d'après-midi. (Silence du patron et de Popov, lequel reprend au bout de quelques secondes :) Si vous voulez bien me concéder un peu de votre précieux temps, et si Wat nous mène en bateau – comme je le crois – on pourrait dire que la « présence » de la fameuse tête pourrie est apparue dans la nuit de dimanche à lundi. (Rilsky : « On pourrait... ») Laissez-moi poursuivre : déçu par sa partie de plaisir ratée avec la bonne, l'étudiant n'arrive pas à dormir, s'énerve, finit par quitter sa piaule pour aller retrouver sa maîtresse. Là, problème : il aperçoit sur la terrasse une tête qui ne lui est pas du tout inconnue ; mais celle de qui ? « Une tête pourrie », ça pourrait être la tronche de sa dulcinée !... Voilà pourquoi, d'entrée de jeu, notre homme accuse Hester Bellini. Je vois bien que ça ne vous emballe pas, patron, mais qui ça pourrait bien être, à votre avis, cette « tête pourrie » que Brian Wat trouve « inutile et encombrante » ? Une seule réponse : une connaissance dont il a honte – voilà ce que je pense. Le *serial killer* est un barjot que Wat connaît bien, et notre intellectuel n'est pas fier du tout de ce genre de fréquentations. Or, puisque nous avons déjà, à Santa Barbara, un lot de fêlés évadés de Saint-Ambroise, mon hypothèse se tient : parmi les *serial killers* évadés de l'hôpital, l'assassin de Mme Harrison est celui que connaît Brian Wat. Ils se sont peut-être rencontrés dans un service de dingos, ou dans un truc d'intellos, ou chez un dealer, vous voyez ce que je veux dire ? Faut voir, quoi !... (Épuisé, Popov, qui d'habitude avait peur de se fatiguer les méninges, brusquement et par vanité ne se ménageait plus du tout.)

– Eh bien voilà, mon ami, fouillez-moi tout ça ! Faites un saut à l'hôpital ; interrogez les uns et les autres ; consultez le fichier ; vous connaissez la procédure... Au travail ! (Rilsky, le sourire mélancolique, était ravi de se débarrasser de son lieutenant.)

Pour être juste, ce furent les arguments extraits du rapport de Popov, mentionnés devant moi par le commissaire, qui finirent par me convaincre de me rendre en personne à Saint-Ambroise malgré ma lassitude. « Ils sont tous coupables, patron, si vous voulez mon avis, avait diagnostiqué le lieutenant. Les politiques et les psychiatres ; les politiques parce qu'ils coupent les vivres des établissements publics et exproprient les plus pauvres, les "psy" parce qu'ils ont trop d'idées ! Ah, la misère ! On n'imagine pas ce que c'est tant qu'on n'a pas vu celle des fous. Je comprends qu'ils fichent le camp. À leur place, qui n'en ferait autant ? Mais les "psy", ça... je vous les recommande, passez-moi l'expression ! Ils n'ont rien trouvé de mieux que de... comment qu'il m'a dit, le professeur Machin ?... passez-moi mes notes... "faire confiance au désir du sujet". Qu'est-ce que vous entendez par là ?, je lui fais, modeste. Lâcher le sujet dans la nature : voilà ce que ça veut dire, patron, pour qu'il aille faire preuve de son désir au cœur du lien social ! Si ça lui chante d'aller le poignarder, le lien social, ou de baiser des mineurs et des femmes endormies qui n'en demandent pas tant, pourquoi pas, tant qu'il y est, le sujet ! Bon, je sais que ce n'est pas mon rayon, mais c'est le boulot de qui, ce problème-là ? Des journalistes ? Ne me faites pas rigoler ! À part ça, pas d'inquiétude, cet aspect de l'affaire n'est pas de la compétence de la Brigade criminelle. J'ai fait mon enquête de notre point de vue à nous, je veux dire proprement, comme toujours. Pas d'indices concernant Wat pour l'instant, passons... Je le pincerai plus tard, celui-là... Mais j'ai encore deux pistes, patron, des sérieuses : un gars relâché parce qu'ils l'ont jugé tiré d'affaire, paraît-il, récidiviste, maniaque sexuel, ancien prisonnier, vous voyez le tableau... Et un autre qui s'est éclipsé sans rien demander à personne, violeur patenté, délinquant, du genre camé-tueur. Je suis en train de remonter les filières : amis, parents, connaissances, planques possibles... »

Pendant que Popov faisait du bon boulot de bazar, de mon côté je m'étais dit qu'il n'était peut-être pas inutile de voir à quoi ressemblait un pensionnaire de Saint-Ambroise ; je voulais aussi comprendre comment la science moderne pouvait se tromper à ce point sur le fameux « désir du sujet ». Vieille connaissance glorienne, Zorine était la proie toute désignée de mon désir de savoir.

Le professeur vint personnellement m'accueillir sous le porche de l'entrée, puis il me fit traverser la cour de l'hôpital en pleine effervescence thérapeutique ; danse, musique, basket et ping-pong rivalisaient : sans doute un atelier récréatif. De jeunes corps, quelque peu malhabiles à ce qu'il me sembla, s'essayaient à diverses activités, poussaient des cris, échangeaient des propos embrouillés mais apparemment sans agressivité. Quelques-uns, garçons et filles, se collèrent à moi comme s'ils voulaient m'embrasser ou recevoir les câlins qu'ils attendaient depuis des lustres, tandis que d'autres se contentèrent de bombarder la pimpante intruse que j'étais de regards mats. Un sentiment de distance mal réglée, voilà ce qui s'imposa à mon esprit : les uns étaient trop près, les autres trop loin. Tout cela manquait d'air, on étouffait ; ce devait être encore cette chaleur hors saison, ajoutée à l'âcre odeur de l'hôpital... Je m'aperçus que je m'étais si bien habituée à la coque gris-roux des jours pluvieux de Paris que j'en avais pris la forme et la couleur. Aussi, quand le ciel de Santa Barbara se tendit, bleuit, chauffa, me plaquant dans la cour miteuse de Saint-Ambroise, je me sentis comme expulsée de l'espace, sans lieu. L'été est un vaste désert où l'on a tout son temps mais aucune place, dans l'elliptique errance du soleil et des fous.

Lesquels, parmi eux, auraient pu être les deux *serial killers* présumés : Tyson Y. ou Jason X. ? Aucun, car ces deux-là s'étaient déjà fait la belle ; à condition toutefois que les investigations de Popov confirment l'hypothèse des évadés de Saint-Ambroise inventée par Larry – hypothèse solide du reste, qui mouillait la société et le gouvernement. Aucun, car je ne pouvais imaginer un de ces êtres pâles qui me fuyaient ou m'embrassaient capable de la maîtrise nécessaire pour trancher la tête à Gloria.

Zorine, qui avait lui aussi commencé par s'apitoyer, en était venu à l'ironie, ce qui collait mieux à son rang de chef du service de pédopsychiatrie.

– Ah, les intellectuels parisiens ! Vous êtes très forts pour couper les cheveux en quatre... A-t-on idée de prendre Artaud au sérieux, car c'est bien son délire que vous me citez là ? D'accord, tous les jeunes – même les jeunes psychiatres, ce qui est tout dire – se sont soûlés de ses troublantes invectives. Ce fut une époque – belle époque, d'ailleurs, je vous le concède –, celle de ma génération... Mais c'est fini aujourd'hui, nul ne lit plus ce genre de chose sur la planète. (Oubliées pour le moment, les subtilités du spécialiste de l'autisme et de l'amateur d'art moderne ; Zorine s'adressait à moi d'une voix posée, avec un débit extrêmement lent. Comble de l'ironie ou de la didactique ? De fait, le professeur était persuadé que ce rythme laborieux convenait mieux à une parole authentique désireuse de rester à l'écoute de l'inconscient de l'autre.) Si vous comptez me faire avouer que la psychiatrie est responsable de la folie et même de l'assassinat de notre inoubliable Gloria par *serial killers* interposés : non, non, trois fois non ! (Ici, la lenteur de sa voix était devenue si excessive qu'elle ne laissait plus transparaître aucune émotion vis-à-vis de la défunte.) Je vous le dis avec tout le sang-froid de ma compétence, si vous me permettez cette présomption...

Zorine admettait, de la part de quelques collègues, une certaine sensibilité à des pratiques extrémistes d'inspiration antipsychiatrique ; il n'était pas impossible, selon lui, qu'on eût voulu « intégrer » ou « réintégrer » prématurément certains sujets nécessitant encore un traitement lourd. De telles bavures étaient naturellement impensables dans son propre service de pédopsychiatrie, où le suivi des patients ne souffrait aucun relâchement grâce aux efforts conjoints des sciences cognitives et de la biochimie. Mais, dans d'autres unités, il ne pouvait jurer de rien tant le laisser-aller s'était généralisé, à Santa Barbara comme partout dans le monde.

Un des deux suspects, le dénommé Jason X., était parfaitement inconnu de Zorine. L'accueil d'anciens prisonniers qui avaient, paraît-il, fait leurs preuves, et de ceux qui avaient purgé peu ou prou la totalité de leur peine, était courant dans les services d'adultes : un peu d'observation, un brin d'éducation, ces braves gens reprenaient goût à la vie – et pourquoi pas à la mort... Les traitements n'étaient pas toujours ce qu'ils auraient dû être, il fallait compter avec le manque de personnel, le surpeuplement, les insuffisances de gestion... En outre, un pervers sadique est forcément récidiviste – les longues années d'expérience clinique vous apprennent ces choses-là –, un pervers reste à jamais un pervers. Intraitable, la perversion. Rétive, même après une très longue et très méticuleuse psychanalyse... encore que le professeur avait eu quelques cas, en privé, où s'étaient manifestés de notables progrès. Mais Jason... Jason n'avait bénéficié d'aucune cure analytique, rien que de la biochimie, fort insuffisante, la preuve... La police était persuadée que c'était lui qui semait la terreur dans les beaux quartiers de Santa Barbara, étranglant les femmes après les avoir violées.

Quant à Tyson Y., c'était une autre paire de manches : pas vraiment un patient de Zorine, non, le professeur ne s'était jamais intéressé de très près à ce genre de pathologie, mais l'homme – ou plutôt l'adolescent, car cela remontait à plusieurs années – avait en effet transité par son service. Tant que l'enquête n'était pas close – déontologie oblige –, le professeur préférait ne dévoiler que les prénoms des patients. Un grand garçon roux, un peu voûté, à la carnation blanche, sablée, qui rougissait comme une fille et se droguait comme un Anamite de Hongkong. Démoniaque s'il était en manque ou par suite d'un abus de mélanges, maniant facilement couteaux, cutters et autres tournevis ; mère blonde, comme les victimes et, cela va sans dire, déprimée ; père inconnu, comme d'habitude. Une psychose blanche noyée par la toxicomanie : Zorine était plutôt d'accord avec le diagnostic. Blanche, noyée, peut-être, mais pas du tout stabilisée, la psychose de Tyson Y. ; car, au moindre dérèglement de sa protection toxique, le sujet passait à l'acte. D'autant plus dangereux qu'il était d'aspect très doux, chérubinique, androgyne – les victimes ne se méfiaient pas. À l'hôpital, on ne l'avait pas lâché d'une semelle tant que son cas avait relevé de la pédopsychiatrie, mais dans les services d'adultes, que voulez-vous ? Certains collègues confondent les pathologies et font n'importe quoi, alors... Tyson avait donc fugué, tout le monde le savait maintenant, même la police.

– Je l'imagine penché sur la belle poitrine de Gloria. Ou plutôt je ne l'imagine pas : je les vois, elle avec sa chevelure auburn, ses magnifiques yeux verts... et cet homme qui doit avoir combien ? vingt-cinq ans ? davantage ? Je ne connais que l'adolescent, le démon frêle qui, à dix-huit ans, n'en paraissait que dix – dix ans bien inquiétants, insituables... Vous avez lu Mark Twain, *Le Prince et le Mendiant* ? Moi aussi, je ne m'en souviens que vaguement, lecture d'enfance... Pourtant, depuis le meurtre, ce bouquin me hante. Comme il m'a hanté quand j'étais gosse. Peut-être la gémellité des deux personnages – l'un roi, l'autre gueux –, physiquement en tous points pareils, me rappelle-t-elle l'inquiétante ambiguïté de Tyson Y ? Un visage à chanter dans la manécanterie d'une église anglaise. La psyché d'un assassin. Je me réveille en nage, je crie par la gorge de Gloria... Pardonnez-moi cette charge romantique. (Ses paroles l'étaient forcément, mais pas sa voix, car son débit ultralent, qui se voulait à l'affût de l'inconscient, la faisait sonner, grave, tenue.) Vous allez trouvez que je me console avec facilité en me livrant à une construction trop... livresque, n'est-ce pas ? trop à la mesure de Gloria... Vous allez trouvez que c'est horrible, ce que je dis là... (Il accéléra le rythme comme s'il s'était soudain entendu. Une marque de lucidité, de finesse. L'aurait-il donc réellement aimée, sa Gloria ? Aurait-il été le seul homme à l'avoir aimée ? Pas grand-chose, sans doute, que cet amour fait de morceaux choisis, d'observations cliniques, mais qui dit mieux ? Une tendresse qui réveille en pleine nuit la gaucherie prétentieuse du savant.) Car, après tout, la police ne dispose encore d'aucune preuve...

Je traversai de nouveau la cour de Saint-Ambroise sans échapper ni aux frôlements des uns ni aux yeux mica des autres, pas plus qu'à cette écœurante odeur de choux et de pâtes trop cuites qui trahit infailliblement les établissements de santé publique. Tyson Y. avait rôdé parmi eux, parmi eux rôdait un futur Jason X. Prince de Galles mâtiné de Tom en guenilles, page à la peau laiteuse, au cœur sadique, intoxiqué d'angoisse maternelle, d'erreurs médicales, de toutes les privations possibles et imaginables que vous infligent dorénavant les pouvoirs publics, l'incurie de l'Éducation nationale, la courbe ascendante du chômage, le trou de la Sécurité sociale, le malaise des banlieues et le déclin généralisé du civisme ! Là, je tenais mon papier – très politique – pour *L'Événement de Paris.*

– Quant à votre question, chère Stéphanie, mon opinion est faite depuis longtemps : qu'il y ait ou non des médecins, au train où vont les choses, il y aura de plus en plus de malades. (Zorine avait laissé s'envoler son regard apitoyé par-dessus ses demi-lunes en guise d'au revoir.)

Je n'avais pas insisté. Saint-Ambroise ne m'avait rien révélé que je ne sache déjà. Plus risible ou plus angoissant, il ressortait des propos de Zorine que Jason X. comme Tyson Y. pouvaient en effet avoir poignardé et décapité Gloria – comme ils pouvaient ne l'avoir pas fait. Possible, mais peu probable. Probable et pas réellement impossible. Pas impossible et fort probable – à moins que ce ne fût fort improbable. Et ainsi de suite. Une seule certitude : le professeur avait réellement aimé Gloria. À sa façon. Entre les chorales anglaises, Mark Twain, Artaud, *La Femme à la collerette* et la rose carnation de ses fantasmes. Il l'aimait encore. Zorine s'était composé une sorte de méticuleuse marqueterie de sentiments, d'opinions, d'affects, de poses qui lui permettait de tenir debout comme chef du service de pédopsychiatrie... Quel programme ! C'était sa folie à lui, bien tempérée dans un monde d'abrutis et de délinquants.

Il ne me restait qu'à compter sur Rilsky, ou plutôt sur Popov pour retrouver le chaînon manquant entre la psychose, blanche ou pas, et la perversion, traitable ou pas, jusqu'au *serial killer.* La bonne affaire ! Décidément, Gloria avait une de ces chances !

12.

Ainsi donc, tandis que les uns rêvaient et les autres dissertaient, Rilsky était au travail. Il aurait voulu en parler à Stéphanie, connaître son sentiment, comme souvent dans les affaires compliquées, car il lui prêtait l'intuition des femmes – et des étrangères – qui savent repérer ces petites choses anodines capables de modifier un scénario du tout au tout. Mais, cette fois-ci, Mlle Delacour s'était laissé posséder par les théories primaires de Larry Smirnoff : elle se consacrait entièrement ou presque à son enquête sur la corruption, tâche absorbante s'il en est à Santa Barbara, qui ne lui laissait aucun loisir pour s'occuper de l'affaire Harrison. Northrop sentait sa vieille amie réticente, distraite ; elle évitait même de l'accompagner au concert, ce qu'elle faisait pourtant sans se faire prier d'habitude. D'autant plus que, rentré précipitamment de sa mission dans le Sud-Est asiatique, Bob Harrison partageait avec la journaliste le vaste cube lumineux au-dessus de la Rivière. Bien sûr, il y avait de la place pour deux dans cet appart' de luxe ; en outre, Bob était submergé par les problèmes à régler du fait de la disparition de sa sœur : la succession, le procès, Jerry surtout, même si l'oncle maternel avait la chance inespérée d'être secondé dans cette dernière tâche par la toujours très dévouée orthophoniste, Mme Gadeau. Par conséquent, Bob et Stéphanie ne se croisaient guère, et Rilsky ne voyait pas qui, à part le directeur du *Matin*, pouvait accaparer la journaliste au point qu'elle l'évitât, lui, aussi ostensiblement. Mais enfin, qu'à cela ne tienne, le commissaire pouvait au moins compter sur son indéfectible et fidèle Popov qui se révélait souvent de bon conseil. Sans parler de la complicité éclairée – il fallait l'avouer – du vieux Doc.

Celui-ci s'était appliqué sur le cadavre de Gloria qui avait pourtant déjà eu plus que sa part. L'autopsie avait pris le relais de l'acharnement trouble que nos sociétés exercent parfois à l'encontre de certains de leurs membres, sans qu'on en devine jamais les véritables mobiles. Une vraie persécution. À l'heure qu'il était, il ne devait pas rester grand-chose de la plastique de Gloria Harrison, de ses formes si bien prises dans le satin ivoire de sa robe, de son beau corps harmonieux qui évoquait, lorsqu'on l'avait découvert – la rigidité cadavérique commençant à se dissiper –, quelque beauté célèbre décapitée par le temps. Désormais les reflets de Dionée et Aphrodite et, pourquoi pas, de la Victoire de Samothrace, qu'avait entrevus Stéphanie Delacour – mais elle avait l'imagination morbide ou le deuil comique, comme il vous plaira – avaient été réduits à néant par le scalpel de ce macabre archéologue qu'est le médecin légiste. Les dégâts esthétiques n'étaient tout compte fait pas si scandaleux puisque Gloria, en véritable athée et en conformité avec le testament qu'elle avait déposé chez son notaire juste avant la nuit tragique, avait prévu d'être incinérée. C'était désormais chose faite. Et tous les Santa Barbarois, y compris les plus croyants, s'étaient inclinés devant cette sage décision, à moins qu'ils aient préféré ne pas y penser.

Sur le rapport d'autopsie rédigé au présent historique (certains diront gnomique), Gloria continuait à posser tous ses organes – sauf la tête – plus ou moins détériorés. Nous figurerons tous ainsi, les plus connus comme les plus obscurs, dans l'éternité des ordinateurs et autres banques de données sous forme de ce qu'il faut bien appeler le « présent organique ». À condition de subir une autopsie, notre enveloppe et nos organes sont ainsi assurés d'un indéfectible présent.

– Voulez-vous que nous reprenions une fois de plus le dossier ? Pour vous plaire... je veux dire : si je pouvais vous être utile... Voyons, comme je vous l'ai déjà dit, Northrop, le poumon gauche révèle un œdème dû à l'effet agressif du liquide gastrique sur le tissu pulmonaire : odeur caractéristique de putréfaction. Inutile-de-vous-dire – si je puis me permettre de vous citer – que la substance jaunâtre n'est autre que le contenu de l'estomac ; le sujet l'a pour ainsi dire inhalé sous l'effet de la strangulation qui a conduit à la mort subite. (Le légiste, l'air moins assuré que ne le laissait entendre son vocabulaire technique.)

– Où est le problème ? (Rilsky, sensible à la parole d'autrui et neutre comme un psychologue.)

– Cela aussi, je vous l'ai déjà dit, mais reprenons : les artères coronaires sont rétrécies, le ventricule gauche n'est pas dilaté, donc, pas de véritable défaillance cardiaque. Ajoutez à cela l'œdème pulmonaire modéré, quelques hémorragies pétéchiales pulmonaires et cardiaques, une forte présence d'alcool, de Rohypnol et d'Élavil dans le contenu stomacal.

– Vous dites bien « Rohypnol et Élavil » ? (Rilsky, distrait.)

– Vous avez lu mon rapport, non ? (Le Doc, agacé.)

– Ce qui me gêne, c'est que son médecin traitant n'avait jamais prescrit d'antidépresseurs à la victime. On n'a pas trouvé trace d'Élavil dans l'armoire à pharmacie, seulement l'emballage d'un flacon de Rohypnol à son chevet. (Rilsky, un brin anxieux.)

– Eh bien, c'est votre problème, cher ami ! (Le Doc, agressif, puis beau joueur.) Cela changerait-il quelque chose à votre scénario ? Permettez-moi de vous rappeler à tout hasard que cette dame, comme toute patiente de quelque notoriété dans ce quartier de Santa Barbara, pouvait se procurer très facilement n'importe quelle substance chez sa pharmacienne habituelle. (Le Doc, pas formaliste.)

– En effet, la gérante de la toute proche Pharmacie du Progrès croit se souvenir que l'orthophoniste de Jerry lui a récemment demandé de l'Élavil pour Mme Harrison. Quelle quantité de neuroleptique avez-vous décelée ? (Le commissaire, pragmatique.)

– Une dose quatre fois supérieure à la normale : de quoi assommer le cobaye sans l'aide de champagne ni de somnifères. Elle a pu jeter la boîte dans la cuvette des W.-C., à moins qu'un de ses nombreux visiteurs nocturnes n'ait cru bon de l'escamoter avec une babiole : un bijou, la montre, le couteau... sans oublier de faire un petit ménage pour effacer ses traces. Qu'est-ce que j'en sais, moi ? Un élément de votre puzzle parmi d'autres bien plus énormes, je vous l'accorde...

– De *notre* puzzle.

– Soit ! Qu'en concluez-vous ? (Le Doc, strictement professionnel.)

– Rien pour l'instant. Et vous ? (Rilsky, sobrement flegmatique.)

– Voyez vous-même ! Cela ressemble à s'y méprendre à ce que nous considérons comme un empoisonnement par drogue hypnotique. Bref, il est difficile d'affirmer quel agent est définitivement responsable du décès. Comme nous n'avons ni la tête ni le cou, nous ne pouvons conclure à une éventuelle strangulation. Des traces sur la gorge de la victime auraient été si rassurantes dans ces cas-là ; je veux dire : rassurantes pour vous et moi, ne généralisons pas... (Le Doc, honnêtement embêté par l'imprécision de sa science.)

– Empoisonnement ou strangulation, n'est-ce pas ? J'admettrais quant à moi conjointement et très volontiers les deux hypothèses. (Rilsky, philosophe dialecticien.) Mme Harrison a absorbé un mélange de barbituriques et d'antidépresseurs copieusement arrosé de champagne – d'où son état comateux –, auquel serait venu s'ajouter un choc émotif violent dû à l'intrusion psychique de M. Fish.

– Psychique, psychique... Les prélèvements vaginaux et anaux révèlent la présence de sperme – celui de M. Fish. J'ai fait des recoupements avec le dossier médical du suspect. Je m'y suis autorisé, car, dans ces circonstances pour le moins excessives, le secret médical ne tient pas, vous me l'accordez ? Et puis, nous sommes à Santa Barbara. (Le Doc, déontologique.)

– Merci... État comateux, disais-je, dû également à une intrusion physique, laquelle a pu être assortie de brutalités. La compression de la gorge ou de l'abdomen entraînant la stimulation du système parasympathique suivie de la survenue rapide de l'arrêt cardiaque. L'asphyxie a dû être lente si on se fie au témoignage de la gouvernante, Mlle Bellini, qui a fait état de nombreuses pétéchies rétro-auriculaires et d'une cyanose partielle de la face. D'ailleurs, le suspect Fish ne nie pas cette éventualité ; il faut dire que tout l'accuse. Je n'oublie pas que vos données toxicologiques n'excluent pas la strangulation mais elles l'atténuent ; sans effacer la responsabilité du suspect, elles lui ajoutent des agents complémentaires. Cette formulation vous convient-elle, Doc ? (Rilsky, rédacteur soucieux.)

– Honnêtement, il est impossible d'exclure totalement l'hypothèse de la mort subite par inhibition : arrêt cardiaque brutal dû à la peur, à l'agression, à divers facteurs psychologiques mettant en jeu une stimulation vagale. Bon ! Ensuite, le couteau, vous ne l'avez toujours pas retrouvé ? (Le Doc, pas mécontent d'attraper à son tour Rilsky en flagrant délit d'incompétence.)

– On vient d'arrêter le *serial killer* – ou plutôt un des *serial killers*, car il est probable qu'ils sont plusieurs, évadés de Saint-Ambroise, ou trop vite libérés, quelle différence ? Le monstre s'accuse de tout, trop content d'être la vedette unanimement célébrée par les médias. Il opérait avec des gants et prétend avoir jeté à la mer le couteau dont il s'est servi pour poignarder ses malheureuses victimes. (Rilsky, l'air moins sûr de lui que ne le laisse entendre le récolement des faits.)

– Je reprends ? Nous avons le choix entre Jason X., le récidiviste endurci, et Tyson Y., un cinglé genre *Orange mécanique*... (Popov qui, à force d'enquêtes à Saint-Ambroise, avait assimilé ce qu'il prenait pour la nosographie en vigueur dans la désignation des suspects, crut bon de s'immiscer dans la conversation pour que le patron reconnaisse enfin sa part personnelle dans l'enquête – une part essentielle, *'nutile-de-le-dire*.)

– Popov a mis la main sur Tyson, mais nous risquons d'avoir besoin des deux. (Rilsky, énigmatique, interrompant le lieutenant avec indulgence.)

– Comme vous le savez depuis le début, ni l'ecchymose péricardique ni l'épanchement sanguin ne sont très importants. *Ergo*, le coup de couteau a été donné au sujet bien après sa mort. (Le Doc, affirmatif.)

– Le sang coagule dans le cœur une heure après le décès. (Rilsky, savant.) Fish aurait très bien pu jouer du couteau avant de filer.

– Dans ce cas, il serait resté une heure dans les parages, histoire de décrocher et d'emballer son butin... Après tout, pourquoi pas ? Il n'est pas très futé, mais il est peut-être... (Le Doc, marchant dans les plates-bandes du commissaire.)

– ... sadique ? Mais oui, mais oui. Médiocre mais sadique, ou si vous préférez, un sadique médiocre. Laissons cela. Quoi d'autre ? (Rilsky, pragmatique.)

– Les lividités. Et les fibroplastes sur les deux blessures, d'abord celle du sein, puis celle du cou – la découpe, de toute évidence au rasoir, des structures cervicales, de l'os hyoïde, des cartilages thyroïdes. Les lividités du dos sont plus anciennes ; il y en a d'autres, moins nettes, sur le ventre et la poitrine – le cadavre a été retourné. Par ailleurs, les cellules mononucléées du sein ne montrent pas la même évolution que celles du cou : les premières sont antérieures de douze heures environ.

– Conclusion : quelqu'un a planté le poignard (appelons ainsi l'arme du crime – enfin, une des armes) vers six ou sept heures, le dimanche matin, probablement après le départ d'Hester qui ne parle ni d'arme blanche ni de sang dans sa première déposition. Attiré par les allées et venues autour de la maison, le *serial killer* aurait tenté sa chance. Puis, furieux de tomber sur un cadavre, frustré de la chair fraîche qu'il s'attendait à trouver – à moins qu'on n'ait affaire à un nécrophile, ce qu'il n'est pas puisqu'il n'a pas violé la victime, d'après vos données –, excité autant que dépité : il aurait frappé. Un coup de colère. Mettons qu'il ait laissé son poignard planté là – il faut donc que quelqu'un d'autre l'ait retiré. Mettons qu'il l'ait retiré lui-même avant de s'enfuir en l'emportant pour le jeter, ensuite, n'importe où. Dans tous les cas, je le vois mal récupérer l'arme et retourner le corps de la morte. Pour quoi faire ? Pour lui trancher la tête ? Sûrement pas. La décapitation a eu lieu, si je vous ai bien suivi, plusieurs heures après le coup au cœur, ce qui nous conduit au dimanche après-midi. Fou, d'accord, ce *serial killer*, mais pas au point d'attendre douze longues heures pour parachever son ouvrage. Résultat : il nous faut un deuxième tueur pour trancher la tête et l'escamoter. (Rilsky, plutôt satisfait de son petit développement. « Vous devriez écrire des romans policiers, mais ils seraient un peu simplets, je le crains... du moins à mon goût », plaisantait souvent Stéphanie.)

– Un troisième en comptant Fish. (Le Doc, impatient.)

– Exact. Un troisième attaquant, ce qui nous donne un deuxième *serial killer*. On ne meurt que deux fois, ou trois, je ne sais plus. Nous avons déjà lu cela quelque part, non ? (Rilsky, se mettant à la place de l'autre et craignant de l'ennuyer.)

– C'est le train qui siffle trois fois, Commissaire, vous confondez vos sources. (Le Doc, distant.)

– L'un n'empêche pas l'autre, mon ami. Mais gardons-le pour nous, si vous le voulez bien. Qu'il y ait un ou deux fous, qu'est-ce que cela prouve ? Le désastre de la santé publique ? L'ampleur des scandales immobiliers ? La gangrène de la corruption ? Pour notre victime, les jeux sont faits. D'autant que le *serial killer* numéro un s'accuse de tout. Ce qui suffit amplement pour satisfaire le public, « calmer l'opinion », comme disent les journaux, n'est-ce pas ? (Rilsky, cynique.)

– Comme vous voudrez. C'est tout de même très glauque. (Le Doc, les yeux en biais, rasant la table.)

– Je ne dis pas le contraire. Mais laissons *Le Matin* porter le diagnostic ; laissons les journalistes grenouiller. Pensez donc ! Si nous disions toute la vérité, ils perdraient leur job trop bien payé. Soyons charitables, ne les jetons pas au chômage. (Rilsky, racisme en berne, mais pour en tirer profit et clore l'enquête à bon compte.)

L'affaire Harrison était désormais devenue emblématique de la vie à Santa Barbara. Il n'était plus question de Gloria mais de « la situation », la presse mondiale en parlait, Larry se frottait les mains. Son reportage dans *Le Matin* venait d'être traduit *in extenso* dans *L'Événement de Paris,* publié dans la colonne voisine de celui de « notre envoyée spéciale » à Santa Barbara, Stéphanie Delacour. Le *scoop* !

La journaliste, quant à elle, avait confectionné un article de fond exclusivement consacré à l'analyse de la corruption politique et à la violation des droits de l'homme. Quelque chose la retenait, l'empêchait de s'impliquer plus avant dans l'assassinat de Gloria. Comme d'habitude, Rilsky avait bâclé et bouclé son enquête. Stéphanie aurait pu l'aider, bousculer sa construction simpliste, s'intéresser au *serial killer*, rechercher la tête disparue, ouvrir les dossiers qu'elle avait accumulés autour de l'existence de Gloria à partir de détails insignifiants, mais qui pourraient devenir révélations un beau jour. C'était au-dessus de ses forces. Stéphanie Delacour ne pouvait pas tout faire. Gloria, elle, faisait tout, toujours. C'était peut-être même pour cela qu'on ne l'aimait pas, qu'on en avait marre, qu'on n'avait pas hésité à s'en débarrasser (Rilsky laissait entendre que plusieurs personnes avaient mis la main au meurtre), qu'on avait voulu lui donner une leçon, définitive. Une femme seule qui se prenait au sérieux. Elle n'avait pas le sens de l'humour, Gloria, c'était ça, son défaut, la cause principale de cette envie qu'elle suscitait immanquablement, de cette exaspération...

Et moi qui continue de l'attaquer *post-mortem* ! Qui m'acharne comme les autres, avec les autres...

Conclusion de l'enquête ? Néant. Avec le temps, toute cette histoire avait autant de chances de paraître horrible que dérisoire. Pourquoi ? Parce que pathétique, certes, mais de pantins. Une histoire de pantins pathétiques. Ce n'étaient pas les valeurs qui étaient devenues inconsistantes, comme le radotait avec componction le vieux Northrop quand il accusait le vide d'un horizon désespérant en essuyant les verres épais de ses grosses lunettes. Inconsistants étaient les êtres ; leur existence naguère angoissée, tragique et potentiellement criminelle, s'éclipsait désormais en images virtuelles.

Voyons, où en étions-nous ? D'hypothèses en variantes, de probabilités en incertitudes, l'opinion publique, comme aurait dit Odile Allart, en était arrivée à la conclusion que Gloria avait eu ce qu'elle avait voulu, puisqu'elle s'était intoxiquée de son propre chef, même si elle n'était qu'à demi morte avant le coup de pouce fatal de son amant sadique ; que ce dernier était certes un escroc doublé d'une brute, que le rôle du coupable lui allait comme un gant, mais que, quoique définitif, cet emploi ne tenait pas toutes les promesses du scénario ; qu'au moins un psychopathe, sinon deux, était requis pour conduire l'horreur à son comble de réalité ; mais que, la responsabilité de la folie étant juridiquement nulle, la culpabilité ne saurait être assumée, autant dire diluée, que par et dans l'ensemble du corps social, ou au moins dans sa partie la plus corruptible, son ventre mou, cette fraction qui, comme par hasard, détient le pouvoir, comme l'écrivait non sans raison l'éditorialiste du *Matin*.

Le sentiment initial d'opacité et de déjà-vu qui avait submergé Stéphanie à son arrivée à Santa Barbara avait cheminé sournoisement jusqu'au pire, mais s'était mué à présent en une irréalité ductile : comme les images, les crimes devaient être virtuels, puisque les personnes l'étaient ou du moins étaient en passe de le devenir. Entiché des femmes cubistes de Picasso, le petit Jerry avait vu plus juste que les adultes : visages concassés, identités brocardées, prises de vue et angles d'attaque ou fuyants, perspectives mobiles, consciences tournantes – où êtes-vous, repères d'antan ? De tous ces puzzles, le commissaire, fidèle à son humanisme esthétique, avait choisi le plus spectaculaire et le moins nocif : il avait gardé le rôle de mère tragique et abusée ; il s'était vengé de l'amant vulgaire en lui réservant le personnage du coupable mafieux et niais ; il avait résorbé la responsabilité sociale, au grand dam de Larry Smirnoff, en chargeant le *serial killer* du plus insoutenable : du couteau et de la décollation.

Le (ou les) *serial killer(s)* : toute la question était là. Peut-être. Stéphanie sentait bien que Northrop ne disait pas toute la vérité. Comme d'habitude, d'accord, mais cette fois-ci plus encore que d'habitude. Après tout, n'était-ce pas logique ? Pourquoi le commissaire, quelque existentialiste esthète qu'il fût, aurait-il échappé à ce règne du semblant, à cet empire du faux – non, du virtuel – qu'était Santa Barbara ? Pour préserver la possibilité surréelle de la musique ? Au nom du culte secret d'on ne savait quelle émotion intime, mesurée, impartageable en elle-même, mais qu'on détourne de justesse, qu'on dévie légèrement, qu'on trompe un tant soit peu, uniquement pour mieux la regarder vivre, de biais, mieux la faire survivre, et soi-même avec elle ?

Allons donc ! Son père l'avait pourtant prévenue : « Ma fille, tu as tendance à projeter sur les énigmes des autres tes propres obsessions. » Rien à faire, Stéphanie avait beau se moquer de Rilsky, au fond, elle le prenait trop au sérieux. Méfiance... Pourquoi Northrop aurait-il été plus existant que les autres, plus consistant que Gloria, par exemple ? Northrop n'était qu'un fonctionnaire, une construction cubiste, une image virtuelle, un fantôme – plutôt distingué, certes, mais quelle différence, dans ce monde de brutes fantomatiques ?

« Notre envoyée spéciale » s'égarait : suppositions psychologiques que tout cela, peut-être même métaphysiques, rien à voir avec le hasard et la nécessité au fondement de tous les crimes, c'est bien connu. *Basta !* Stéphanie laissait tomber. Tant pis pour sa vocation de détective. Ce serait pour une autre fois. Plus tard, jamais, qui sait ? Le temps était venu de quitter Bob, son loft de luxe, la lumière dure et ces gens opaques, envahissants. Dormir seule. Retrouver un sommeil à soi : que ses os apprivoisent la solitude, s'apaisent, goûtent le chaud silence où les rêves prennent corps. D'autant que ses collègues du journal, à Paris, lui fichaient pour le moment une paix royale.

Elle leur avait rendu son papier, ils étaient contents, ça allait comme ça. Fini, Santa Barbara. Pour le moment.

Je rentre à la maison.

III

La mort sans l'intention de la donner

1.

J'aime retrouver la France. Plus d'opacités, de drames, d'énigmes. L'évidence. Clarté de la langue et du ciel frais. Chaque arbre, au bord de la route, fait une révérence soignée. Les intrigues y sont toujours sexuelles, pour cela même violentes ; cependant, lorsqu'elle est franchement érotique, la terreur s'épuise. Les champs se découpent en rectangles réguliers, géométrie antique de Romains, Gaulois et autres propriétaires sûrs d'eux-mêmes mais affables. Je sais bien qu'il y a France et France, et que tous les Français ne sont pas si limpides qu'ils voudraient le faire accroire. Pourtant, quand on revient de Santa Barbara, cette vision s'impose. Pas un millimètre de paysage qui ne réfléchisse ; l'être est ici immédiatement logique. Ces ormeaux frêles, ces jardins taillés, ces marais filtrés côtoient des gens qui *sont* parce qu'ils *pensent*. Mais l'effort s'y dissout, l'argumentation a beau être permanente, elle s'évide en séduction, en ironie.

Beaucoup sont amoureux de l'Italie, et je le suis : profusion de beauté qui ne cesse de surprendre avant que l'excitation ne se rencontre elle-même en sérénité.

D'autres désirent l'Espagne : hautaine parce que déraisonnable, mystique mais nonchalante. Moi, je me réfugie en France, définitivement.

J'ai connu quelqu'un qui ne reprenait goût à la vie qu'en logeant sa main au creux laissé par des millions de pèlerins dans la pierre de Saint-Jacques-de-Compostelle : le temps incarné dans ce vide à forme humaine le réconciliait avec la présence – et l'éternité. Vingt-cinq mille ans avant lui, le Cro-Magnon avait plaqué sa paume gauche sur la paroi d'une calanque de Marseille, et soufflé tout autour de la peinture noire. Deux cent quarante mains dans la grotte de Gargas, au pied des Pyrénées. L'espèce cherchait un abri, mais, déjà fière d'elle-même, elle s'appuyait sur le temps qui vient jusqu'à nous.

De même, je loge mon corps dans le paysage logique de France, m'abrite dans les rues lisses, souriantes et aisées de Paris, frôle ces gens quelconques qui se refusent, mais désabusés, d'une intimité impénétrable et, tout compte fait, polie. Ils ont bâti Notre-Dame et le Louvre, conquis l'Europe et une grande partie du globe, puis sont rentrés chez eux : parce qu'ils préfèrent un plaisir qui va de pair avec la réalité. Mais, parce qu'ils préfèrent aussi le plaisir à la réalité, ils continuent de se croire les maîtres du monde, ou du moins une grande puissance. Ce monde – agacé, condescendant, fasciné – qui semble prêt à les suivre. À nous suivre. Souvent à contrecœur, mais quand même, pour l'instant. La violence des hommes a cédé ici devant le goût de rire, tandis qu'une discrète accumulation d'agréments laisse à présent imaginer que le destin est synonyme de décontraction. Le roman policier est par conséquent inexistant en France, à moins qu'il ne s'enlise en mômeries. Et j'en oublie la mort qui règne à Santa Barbara.

L'ennui, c'est qu'après tant de raffinements, Chartres, Versailles, Descartes, Sade..., il ne reste plus grand-chose à faire. Sinon deux tentations aussi opposées que grandioses : la Terreur ou le Musée, Robespierre ou l'Obélisque, les Droits de l'homme à coups de guillotine (voire la guillotine sans Droits de l'homme) ou le Louvre. Nous en sommes arrivés là voici déjà un ou deux siècles ; l'alternative est toujours la même. Par nature, je préfère le Louvre, je ne comprends pas ceux qui méprisent la culture des musées comme si c'était du temps mort. De nos jours, la France ne serait apte qu'à collectionner son passé, ses meubles d'époque, ses tableaux XVIIIe et XIXe, ses champagnes, ses parfums, ses foies gras. Bienvenue au club momifié et pyramidal ! Une longue rêverie égyptienne s'ouvre devant vous en guise d'avenir ; c'est peut-être mieux que l'actualité brûlante de l'Holocauste, de Sarajevo ou du Rwanda – ouf ! on l'a échappé belle... mais la sortie d'Égypte, c'est pour quand ?

J'entends, comme vous, les raisonnements pressés de ces impatients qui dédaignent les musées. Comme s'il y avait plus urgent à faire qu'admirer la virtuosité de ceux qui, de tout temps, ont perdu le souci du temps pour célébrer la beauté. Surtout qu'aujourd'hui, Égypte ou pas, la beauté n'est plus à la mode : vous n'avez qu'à vous risquer dans n'importe quel musée d'art moderne pour vous en convaincre.

Moi, j'aime le Louvre, et même si le pays entier est en train de se transformer en un Louvre plus ou moins ordonné – à l'exception des banlieues, puisqu'il faut bien des exceptions pour confirmer la règle –, rien ne me ravit comme un verre de Perrier à la terrasse du Marly par une fin d'après-midi d'été. L'élégance faste du Grand Siècle côtoie sans heurts le vide coupant de Pei ; tandis que le public cosmopolite en T-shirts, qui se fout éperdument du Bernin et de son Louis XIV à cheval, comme du Carrousel de plus en plus rose sous le soleil déclinant, paraît d'un universalisme rudimentaire, rafraîchissant, sans lendemain peut-être, mais sans terreur non plus. Quand elle atteint le détachement des amants satisfaits de leur acte, l'humanité, quelle qu'elle soit, ressemble à une pièce de musée : unique, à la fois immémoriale et lourde de mémoire. Comme le Marly. Hors-temps, la France. Mais je n'irai pas au Marly aujourd'hui ; aujourd'hui je me sens casanière, je ne bouge pas de mon quartier.

Mon Saint-Jacques-de-Compostelle à moi, c'est la rue du Cherche-Midi. Parlons-en, du Cherche-Midi ! Ingénuité, mystère du nom. Les façades sobres, bourgeoises, recèlent un luxe parcimonieux et néanmoins confortable. Les boutiques boudent l'apparat des grandes marques : des robes, des pulls, des souliers d'artisans me conduisent aux arômes d'une boulangerie rustique, à la saveur altière des chocolats amers. Le pain fleure bon sous les marronniers du Luxembourg. L'ambre des tilleuls et les abeilles qui s'envolent vers les reines statufiées me rappellent que je ne cherche rien. C'est là, tout est là, et rien de spécial. Dans un décor quotidien, chaque chose – pierre, plante, aliment – mûrit des mille soins insouciants qui font un habitat. Des générations y laissent le goût de leur prudence amusée. Le charme est le midi de la mémoire. Un souvenir qui s'est rejoint pour ne plus se chercher qu'en lui-même. Et j'en oublie le meurtre à Santa Barbara...

Je suis au spectacle en Italie, dans une cérémonie en Espagne, mais chez moi en France. Tout ici est domestiqué, au sens patient, clément du terme. Entre l'enfance verte du parc voisin et l'océan à Montparnasse – marée humaine des RER, promesse maritime du TGV –, ma rue est un pli apaisé. Elle apprivoise le grand large en un confort discret, d'apparence accessible. Rien à voir avec le refuge des marins pressés d'oublier l'orage dans les conventions laiteuses et fripées d'un *home*. Au contraire, sans cesse recherché, un style habite ici, qui trouble, écarte. Il n'a rien de l'effet isolant de la mode, il est une mémoire qui vit en code, genre, manière. Les Français s'enracinent dans le style comme d'autres dans le sol ou le sang. La vendeuse du Cherche-Midi au visage arbitraire et charmant d'une reine de Chartres vous accueille avec des phrases fleuries : comme si elle venait de quitter un menuet à Versailles et qu'elle en transposait la gestuelle dans le ton de sa voix, les volutes de sa grammaire. La simplicité ne se fait pas faute de signifier qu'elle vient de loin. Paris n'est pas pour rien le chez-soi des migrants, qui cependant s'y plaignent, déçus de ne pas être « reçus ». Ils en veulent tous ! Que faire de tant d'étrangers ? Développer le goût de l'abri, des évidences reposantes, mais leur apprendre qu'ils sont loin. Et qu'à Paris ils resteront toujours à l'écart de Paris.

Quand la logique est chez elle dans les rues, les océans, les gares, il n'y a plus de profondeur : l'impossible affleure. Que cachent tant d'apparences ? D'autres apparences tout aussi accessibles, croit-on. Le mystère s'épuise en couches logiques, en résidences sereines. Superficiels, les Français ? Ils demeurent. Bien sûr, j'ai assez navigué à travers le monde pour nous voir aussi de l'extérieur, nous autres (puisque française je suis) : stylés, stylisés, garés des voitures. Je peux dire aussi – comme on le dit hors de nos frontières – que nous n'avons pas d'âme, que nous manquons d'intériorité. Les étrangers s'attachent, se fâchent, aiment, menacent. Les Français jouent des rôles, se surveillent, surveillent, campent dans leur imprenable retraite. Espérons qu'il fasse bon chez nous. Il est important, il est impératif qu'il fasse bon chez nous !

Fenêtre ouverte dans une de ces façades polies, blanches, qui laisse résonner le deuxième mouvement, *largo ma non tropo,* du *Concerto pour deux violons et orchestre en ré mineur* de Bach. Un violon aigu, acide ; l'autre vulnérable, oublieux. Ample avancée de significations qui ne se déversent pas en mots, mais se recueillent – réserve défiant le langage des hommes. La superbe de la musique : une saisie en même temps qu'une dérobade. Mais cet immédiat énigmatique bouleverse davantage lorsqu'il emprunte les voix du violon et atteint l'absolu par le génie harmonique de Bach.

Stéphanie n'était pas assez experte pour identifier Yehudi Menuhin dans le premier violon : peut-être ce *vibrato* exubérant mais tenu, cette précision sévère qui bascule pourtant en imploration... Rilsky l'aurait tout de suite reconnu. Encore Rilsky !

Du calme ! Nous sommes à Paris, désormais. Et la rue du Cherche-Midi conduit au bar du Lutétia.

2.

Odile Allart avait décidé qu'elle en savait suffisamment sur les produits et les hommes pour ne plus se contenter d'accompagner son mari dans les voyages, cocktails, repas d'affaires, mais pour occuper le poste d'associé. Président-directeur général associé des parfums Allart : le titre ne sonnait pas trop mal ; il correspondait exactement à ses compétences et à ses fonctions réelles. Pascal était bien obligé de concéder, malgré quelques réticences viriles fort compréhensibles, que sa femme avait du bon sens, du nerf, et qu'elle le dépassait d'une bonne longueur en diplomatie. Si on ajoutait à ces qualités l'injection substantielle de capitaux provenant d'un héritage escompté depuis le décès de sa tante, et qui augmentait de quarante pour cent environ les avoirs de la Société Allart – à condition que Mme Odile Allart-Lavoissière accède à la fonction de P.-D.G. –, cette restructuration inattendue à la tête du groupe paraissait, tout compte fait, intéressante. Odile adorait les rendez-vous d'affaires, les relations publiques ; Pascal lui-même convenait que non seulement sa femme s'épanouissait dans son nouveau rôle, mais obtenait en outre d'excellents résultats. Notamment lorsqu'elle menait des négociations *a priori* peu prometteuses, en fin d'après-midi, autour d'un verre.

Dans son tailleur pied-de-poule élégamment serré à la taille par une ceinture de cuir rouge, sac rouge, mocassins rouges, Odile faisait aussi chic et performante que possible, assise devant un gin-tonic au bar du Lutétia, près du comptoir. Elle avait déjà consulté par deux fois sa montre quand le barman s'approcha pour lui annoncer un appel. Il fallait s'y attendre : le représentant des parfums Davidoff s'était montré très exigeant dans les transactions antérieures ; la courtoisie appuyée de ses excuses téléphoniques, alléguant une hospitalisation imprévue de sa belle-mère, ne faisait que révéler le manque d'empressement de cette grande marque à traiter avec la maison Allart. Odile réussit néanmoins à décrocher un nouveau rendez-vous pour la semaine suivante, puis elle regagna son fauteuil vert foncé, bien décidée à s'offrir au moins une demi-heure de vraie relaxation en dépit des inévitables humiliations qu'impose à une femme sa situation d'homme d'affaires, non sans en savourer les privilèges, tout aussi inévitables. Elle ne resta pas longtemps absorbée dans ses pensées aigres-douces à contempler les bulles incolores de son breuvage, car Odile avait les yeux vagabonds. De ces yeux des femmes au tempérament actif, insatisfait, qui ne se posent nulle part, ne se tournent jamais vers l'intérieur, mais se jettent en avant comme pour entraîner tout le corps – et l'âme avec lui.

Tapie dans le coin le plus sombre du bar, Stéphanie ne pouvait longtemps échapper à ces projecteurs. C'était l'heure où le White Lady efface les traits des visages, où les pensées les plus éloignées se conjoignent pour créer un monde surprenant. Amateur de surprises, fussent-elles sinistres, Mlle Delacour trouvait agréables les effets du

White Lady qu'elle n'aurait pour rien au monde échangés contre un tête-à-tête prolixe et convenu avec Odile Allart. Mais comment s'y soustraire ?

– Mon Dieu, Stéphanie, quel plaisir de vous revoir après toutes ces horreurs à Santa Barbara ! Excellent article, bravo ! Beaucoup d'esprit. Pascal et moi ne lisons plus les journaux, il ne manquerait que ça ! Rien que les titres, n'est-ce pas, tout est tellement téléphoné, il n'y a plus d'information ; quant aux commentaires, c'est un comble, tout le monde sait qu'aujourd'hui il faut être journaliste pour n'être ni coupable ni responsable ; mais nous apprécions beaucoup vos papiers, vous savez... (Ici, ralentissement du débit, regard lourd mais bref notifiant à l'interlocutrice qu'il est inutile de remercier, de s'appesantir.) Vous aimez ce bar, vous aussi ? Très reposant, pas vrai ? Je ne vous y avais encore jamais croisée... Remarquez, je viens depuis peu, mais c'est fait, j'ai choisi : le *Lutétia* est mon lieu. On respire, vous ne trouvez pas ? Enfin, façon de parler, vous me comprenez, car certaines personnes continuent de fumer, la direction ne veut surtout pas brusquer ses vieux clients. Seulement, de nos jours, il n'y a plus que les névrosés et les gens du tiers-monde qui fument, vous me direz que ça réduit de moitié le nombre des fumeurs dans des endroits d'une certaine classe comme celui-ci : nous n'avons droit qu'aux névrosés, mais il faut croire qu'il n'en manque pas par ici. (Odile, pressée de soulager l'excitation accumulée à cause de son rendez-vous manqué, tout en époussetant l'air de sa main gauche pour chasser la fumée.)

Que veulent les gens quand ils vous parlent ? Trouver un public pour continuer à parler comme si ce public n'existait pas. Ou plutôt, comme si le public – c'est-à-dire vous-même – n'était là que pour fournir cette *appro-*

bation dont le parleur ou la parleuse a besoin pour parler et dont il (ou elle) ne peut jamais s'assurer en personne. Jamais suffisamment. Dites-moi que ce que je dis est bien ce que je dis, dites-moi que c'est bien. Je ne vous demande pas de me dire ce que vous pensez de ce que je dis ; ne croyez même pas que je vous demande de dire quoi que ce soit ; je vous demande l'impossible : je vous demande de témoigner que je suis, que je suis bien. Je vous parle, vous m'écoutez, donc je suis. Écoutez-moi pour que je sois. Après dix ans de journalisme, interviews, reportages, recueils de témoignages, Stéphanie avait compris ce secret du dialogue, elle n'attendait aucun échange, encore moins quelque sollicitude que ce fût pour son for intérieur. La plupart des gens s'engouffraient dans cette écoute désabusée, lui imposaient sans vergogne leur personne, famille, présent, passé, psychologie, idéologie, politique, métaphysique, etc. Depuis un quart d'heure déjà, les associations libres d'Odile Allart effleuraient, sans y laisser de traces, les doux rivages du White Lady auxquels Stéphanie avait confié cette fin d'après-midi. Tout y passait : l'ascension spectaculaire de la nouvelle P.-D.G., les succès de son groupe en France et à l'étranger, l'amertume de Pascal qui supportait mal que sa femme le dominât aussi résolument, la stratégie du recul à laquelle Odile s'était récemment obligée pour céder par moments le premier rôle à son mari afin de sauver ménage et entreprise... « Vous n'imaginez pas à quel point une femme intelligente et néanmoins mariée est obligée de composer, ma pauvre Stéphanie ! » Mais si, mais si, elle imaginait très bien... sauf qu'en réalité, Stéphanie n'avait aucun besoin, aucune envie d'imaginer quoi que ce fût venant d'Odile, là, aujourd'hui, avec son White Lady au bar du Lutétia.

À moins, l'alcool aidant, de se laisser porter à la philosophie. Tout compte fait, le culte du moi – chez une femme, et plus généralement chez les Français – n'est peut-être pas l'expression d'une vanité, mais d'une modestie. On n'ose pas penser, sentir, aimer à partir des autres, des générations suivantes, de l'humanité. On se limite à soi, au petit soi-soi. Les femmes et les Français (à quelques notables exceptions près) n'ont pas cette mégalomanie des hommes – des Russes, des Allemands par exemple – qui cultivent la tendance à se prendre pour le genre humain. Les femmes et les Français ne s'intéressent qu'à leur propre place. Cela pourrait paraître prétentieux, quand il s'agit au contraire d'une sorte d'humilité, en tout cas d'une limitation. On peut aussi voir les choses autrement : une fois la naïveté dépassée, le plus difficile ne consiste-t-il pas à exprimer précisément humilité et limitation ? Ceci étant, et selon toute probabilité, Odile Allart n'en était pas là : rien qu'une coquette bavarde, ce qui ne manquait pas de charme. Stéphanie la dévisagea, goguenarde, sans produire aucun effet sur la parleuse, car ces yeux qui veulent emmener le corps et l'âme avec lui ne voient pas grand-chose en face.

Odile en était à l'évocation de son chagrin – « immense chagrin, vous seule pouvez le comprendre, nous étions si liées, depuis les années de collège au Beau Rivage, en Suisse, je vous en ai souvent parlé, vous vous souvenez, nous étions inséparables, Gloria et moi, et même depuis, moi en France, Gloria à Santa Barbara, avec tous les problèmes politiques de ce pays que vous connaissez bien, je dois ajouter : hélas ! n'est-ce pas, ma chère Stéphanie, car je n'oublie pas que vous y avez passé une partie de votre vie, je ne dis pas ça par méchanceté, non-non, mais par pure sympathie : oui, je suis inconsolable, inconsolable ! D'autant plus que ce drame reste pour moi complètement incompréhensible, quoi qu'en disent les experts comme votre ami Larry Smirnoff, le commissaire Rilsky, vous-même... Pardonnez-moi, ma chère, je ne comprends pas, je ne peux pas m'y faire, je ne m'y ferai jamais ! »

Odile reprit un deuxième gin-tonic pour essayer d'approfondir son chagrin en évoquant de lointains souvenirs, ce qui est inévitable en cas de deuil. Stéphanie eut droit aux cours de très haut niveau, quoique très distingués et très individualisés, du Beau Rivage, aux promenades à ski dans les montagnes, aux flirts avec des moniteurs bronzés, puis au voyage de Gloria en France :

– Imaginez un peu des vacances chez les Lavoissière en Bretagne, et son succès, ce qu'on appelle un succès, pas seulement à la plage – Gloria était déjà impeccable en maillot de bain, elle n'a pas changé, d'ailleurs, vous l'avez sans doute remarqué comme moi, la veille de sa mort, enfin, de son assassinat, on ne se lassait pas d'admirer les formes d'une sculpture pareille ; et puis le corps était loin d'être son atout principal, je le dis en toute sincérité, n'allez pas croire que je me laisse aller à une de ces vacheries entre femmes que nous détestons toutes les deux, mais je dois avouer qu'elle ne manquait pas de succès, ça non ! Même auprès de ma famille, figurez-vous, et j'aime autant vous dire que les Lavoissière sont tr-r-ès difficiles, sauf que Gloria avait beaucoup de chien, n'est-ce pas ? Maman l'avait tout de suite appréciée : « Votre amie est très discrète, Odile. Essayez donc de lui ressembler », me disait-elle. Je passe sur la critique qui ne m'échappait pas, vous me connaissez, mais j'étais fière de Gloria, je l'aimais, tout simplement, j'avais envie de la présenter à ma petite bande du Club de voile. Ce qu'on a pu s'amuser à faire des régates ! Tenez, il y avait les Gadeau, vous connaissez Pauline ? Non, justement, je me trompe, Pauline n'était pas avec nous cette année-là, Pauline avait sa déprime. Elle n'a pas connu Gloria en Bretagne, je la lui ai présentée des années plus tard, quand on a découvert le handicap de Jerry. Non, ce n'étaient pas les Gadeau, c'étaient les Meyer, le frère et la sœur ; Gloria et moi étions amoureuses du frère, Simon Meyer, on a même failli se brouiller pour ce garçon, beau garçon qui promettait déjà, n'est-ce pas curieux que j'y repense aujourd'hui ? C'est lui qui m'a fait connaître les parfums Davidoff, vous comprenez, que je devais rencontrer tout à l'heure ici même, rendez-vous décommandé, comme cela arrive souvent dans le métier, ce n'est pas à vous que je vais expliquer ces petites mésaventures qui ne vont pas très loin, croyez-moi, rien de bien grave... Bref, où en étais-je ? Pauline et Gloria se sont connues beaucoup plus tard ! Comment, je ne vous ai pas raconté cette histoire ? Mais voyons, l'orthophoniste de Jerry, Pauline Gadeau, ses parents avaient une résidence à côté de la nôtre à Camaret-sur-Mer. Une vieille amie d'enfance qui a eu une vie horrible, horrible. Dieu merci, tout est stabilisé maintenant, et elle rend bien des services à Gloria, enfin, elle lui en a rendu...

Stéphanie commençait à se demander si le moment n'était pas venu de déguerpir, mais il lui restait moins d'une heure avant son dîner chez des amis dans le IIIe, cela ne valait plus la peine de rentrer chez elle pour si peu de temps. Elle commanda un deuxième White Lady, croqua quelques noix de cajou, s'adossa au velours vert.

– D'ailleurs vous l'avez rencontrée, Pauline Gadeau, à ce tristement célèbre dernier dîner de Gloria. (Odile continuait à émettre ce flux dépourvu de silences qui est le vrai corps de certaines femmes.) Vous voyez de qui je veux parler ? Une femme qu'on ne remarque pas au premier coup d'œil, mais une femme de qualité, je vous assure, bien qu'elle fasse beaucoup plus vieux que son âge, qui est pourtant le nôtre... Oh oui, bien plus vieux ! Vous êtes d'ailleurs certainement plus jeune que moi et que Gloria, mais passons, ce n'est pas le problème. Je disais donc... Voyons, nous sommes fin mai, plus d'un an et demi s'est écoulé depuis cette horreur. Je n'arrive pas à réaliser que ma pauvre Gloria n'est plus. Je me surprends parfois à tendre la main vers le téléphone pour l'appeler. Vous n'y êtes plus retournée ? Nous si. L'entreprise Allart se porte bien, Dieu merci, grâce à moi, si vous me permettez de me vanter un peu, mais, après tout, pourquoi pas, puisque tout le monde le reconnaît, le marché de Santa Barbara nous est désormais acquis. Un triomphe, je n'exagère pas, je vous assure. Où en étais-je ? Ah oui ! En Bretagne, vous connaissez naturellement...

3.

La chaleur est toujours aérée en Bretagne, mais, cet été-là, la canicule qui faisait les gros titres des journaux n'avait pas épargné la côte la plus avancée du nord-ouest. Un soleil lourd plaquait la brume sur les plages désertées par les vacanciers qui préféraient se replier à l'ombre des volets fermés : cette grisaille tremblante sur le sable mort donnait une impression de cimetière. Pauline n'avait pas envie de bouger ; pas question non plus de réviser pour les examens de rattrapage en septembre à la Fac de médecine à Paris ; il restait presque un mois pour cette corvée, elle verrait après les vacances, elle verrait après. D'ailleurs, elle se défendait plutôt bien en anatomie, ce n'était qu'un coup de malchance si elle avait raté l'oral en juin, une petite sieste puis on commencerait à se préparer pour le dîner, faire la mayonnaise, choisir un joli débardeur pour le dancing de La Pergola. Mais d'abord dormir, dormir, que faire d'autre sous cette chaleur ? Un sommeil hépatique, sans rêve, rien qu'un labyrinthe de sensations et de mots, la bouche ouverte et la gorge raide. Une palourde qui perd son suc à marée basse, s'entrouvre, sèche. Un coquillage privé de sa pulpe est-il vraiment mort tant que brille son arc-en-ciel minéral, du gris au jaune, ciel et pierre réunis dans le dehors rugueux et le dedans soyeux d'une palourde morte ?

Pauline prolonge sa sieste tandis qu'Aimeric insiste pour aller nager, se rafraîchir, on en a bien besoin par ce 15 août de plomb, non ? Il fait quand même meilleur dans l'eau que derrière les volets. Aimeric a quinze ans ; de sept ans son aînée, Pauline ne lui refuse rien d'habitude. Dès la naissance du garçon, la grande sœur s'est comportée comme une petite mère, et Mme Gadeau, très occupée dans son laboratoire, n'a jamais raté une occasion de s'en féliciter : « On me fait rire quand on me parle de petites filles traumatisées par la naissance d'un bébé du sexe fort. Regardez Pauline ! L'arrivée d'Aimeric lui a fait le plus grand bien, n'est-ce pas, Pauline ? » À quinze ans, Aimeric est déjà un jeune homme, et sa grande sœur a cessé de lui prodiguer ses soins maternels. Ils font du bateau ensemble au club nautique de Camaret-sur-Mer, le garçon commence même à sortir la nuit à La Pergola. Pauline le trouve super, peut-être même séduisant, cela ne la fait pas rire du tout quand des inconnus les prennent pour un couple. Elle en est agacée plutôt, troublée. Il paraît qu'ils se ressemblent. « Ton frère est ta version masculine ! » dit Odile qui a toujours aimé compliquer les choses. Aimeric se passionne pour les sciences naturelles, il va faire médecine comme sa sœur : ils se spécialiseront tous deux en chirurgie, opérations à cœur ouvert et greffes d'organes. Pauline a déjà sa trousse de chirurgien, Aimeric aime explorer l'objet magique, se faire expliquer à quoi servent les instruments, les gestes que Pauline est en train d'apprendre. « Une présence d'esprit sans faille, la précision faite femme, ce qu'on appelle le talent pour un chirurgien, que demander d'autre ? » (Mme Gadeau ne pouvait s'empêcher de plastronner devant Mme Lavoissière, d'autant plus qu'Odile n'avait visiblement pas les qualités de Pauline.) En attendant, Aimeric et Pauline ne se quittent pas, même dans l'eau, surtout dans l'eau. Deux corps séparés mais ensemble, les flots salés de l'Atlantique resserrent les peaux, on n'est jamais plus isolé, compact, que sous l'épaisseur fluide de l'océan, on avance vers le large, la rive s'éloigne, les muscles chauffent puis gèlent, puis chauffent encore sous l'effort, on aime sentir qu'on est seul, seule, seul à seule, soleil de nos solitudes jumelées, baignées, enlacées ; intervalle effacé, noyé ; une seule mer, un seul cœur.

Aimeric n'est pas de retour à l'heure du dîner. Aucune importance, le colin mayonnaise se mange froid. On rencontre beaucoup de Parisiens en fin d'après-midi au club nautique, le jeune homme a dû y faire un saut. Vers 22 heures, on commence à téléphoner à tous les amis : la fausse décontraction de l'angoisse qui monte. Personne n'a vu Aimeric, ce jour-là : la canicule, puis le vent qui a tourné à l'orage avec la marée, les copains ont somnolé, bavardé, bouquiné chacun chez soi.

Jamais nuit d'Assomption ne fut plus sinistre. Depuis que la montée au ciel était devenue une question de technique, la Vierge intronisée patronne des pilotes avait droit à une fête de l'Air en Bretagne : l'aérodrome de tourisme voisin fatiguait les nuages menaçants d'un ballet acrobatique de planeurs en tout genre, assorti d'un somptueux feu d'artifice. Pauline, qui aimait plaisanter tous les ans sur cette ambitieuse mais néanmoins misérable compétition avec le vol cosmique de la glorieuse Marie, déjà définitivement immortalisé par le Titien à l'Église des Frari à Venise, fixait la baie devant la maison, de plus en plus pâle et mutique. Pendant que son père téléphonait à tous les postes de police des environs, que sa mère étouffait des sanglots dans sa chambre, Pauline scrutait à l'horizon une bande de lumière suspendue entre ciel et mer, d'un gris flasque et trouble de poisson mort.

On retrouva le corps d'Aimeric le lendemain après-midi, rejeté par la houle à une dizaine de kilomètres au sud. Pauline n'avait pas desserré les dents ; elle ne parla pas davantage après l'enterrement ; cela dura des mois. Elle parut à la messe des funérailles, translucide de maigreur, serrée dans une robe de coton blanc, son visage aux marbrures grenat brutalement abandonné par les cheveux blonds tirés en arrière. Comme un de ces coquillages battus par le temps et les vagues, qui a perdu sa forme originelle mais s'obstine à ponctuer les sables de sa présence de vieil os désabusé dont on ne sait plus s'il est mauve, blanc ou nacré, mais qui oppose à la pourriture des algues et à la vitalité de l'aube la folle permanence d'une mort concentrée en écaille.

Aucun des membres de la bande ne revit plus Pauline pendant des années. Elle abandonna ses études de médecine, devint anorexique, fit plusieurs tentatives de suicide. En se tailladant les poignets et même la gorge : le bruit en revint jusqu'à Camaret-sur-Mer. On la sauva de justesse ; il paraît que ce genre de chose rate souvent, d'après ce qu'Odile s'est laissé dire, « ... car si on veut se suicider vraiment, il n'y a qu'une seule solution, ma chère Stéphanie, les barbituriques, à condition d'y mettre la dose, cela va de soi. En réalité, Pauline était une dure, sous ses airs de mystique consumée de douleur pour son jumeau mâle. Elle a survécu, vous avez vu. Bien sûr, il lui reste toujours les entailles aux poignets, même au cou, paraît-il, mais elle porte toujours ces cols serrés de vieille fille, ces gants, vous n'avez pas remarqué ? Les journalistes sont supposés être attentifs aux détails, mais ne vous défendez pas, je vous comprends, elle n'est pas votre genre. Quel genre pourrait-elle bien avoir, la pauvre, après deux ans d'hôpital psychiatrique, les tubes d'antidépresseurs avalés, les électrochocs et le reste, encore heureux qu'elle soit vivante. Eh bien, on n'y croyait pas, mais Pauline s'est refait une vie. Vous savez comment ?

« Elle a changé de langue. Un deuil, ça ne dure que deux ans, d'après le père Freud, si-si, on me l'a dit, un ami de Pascal qui lit ces choses-là, une source sûre. Deux ans, mettons trois pour les cas désespérés. Trop tard pour se remettre à la médecine. Quand elle s'est sentie capable de réapprendre quelque chose, Pauline approchait déjà la trentaine. On voit mal quelqu'un à trente ans, fragilisée comme elle l'était malgré les soins divers et variés, reprendre le chemin des salles de dissection, faire concurrence aux jeunes carabins – des fortes têtes passablement délurées, j'en sais quelque chose. Car, côté sexe, elle est restée complètement bloquée, notre Pauline, ça saute aux yeux, non ? Seulement voilà, elle a eu un coup de génie. Elle s'est mise au santabarbarois et à l'orthophonie : sa façon à elle de renaître, de retrouver le contact avec l'enfance. Il paraît que l'idée lui est venue en psychothérapie. Personnellement, je ne crois pas aux psy-quelque-chose, de la magie tout ça, passée de mode d'ailleurs, je suis trop *matter of fact*, vous comprenez, mais j'avoue que, pour Pauline, ça a marché à fond ; en tout cas, on imagine mal meilleure solution, vous n'êtes pas d'accord ? »

Renaître dans une autre langue, Stéphanie était prête à l'admettre. Personnellement, elle n'avait ni la même voix ni les mêmes pensées dans ses deux langues, mais il lui semblait que jusqu'à ses seins, son dos, son ventre, ses cuisses, ses mains changeaient eux aussi lorsqu'elle passait du français au santabarbarois. Une sorte de mort suivie d'une résurrection qu'elle s'entraînait à expérimenter lors de chaque passage de frontière, oubliant une Stéphanie trépassée d'un côté, en faisant revivre une toute neuve de l'autre. Au début, la migrante menait l'existence somnambulique d'une sorte de Frankenstein étourdi : elle faisait tout mais rien ne la touchait, et passait pour plus douée que les autres. Fausse impression, mais qui marchait : elle s'intégrait, comme on dit, se faisait accepter dans le nouveau code, y retrouvait un élément qui devenait *son* élément ; au point que le masque s'incarnait et qu'une personne vivante le relayait, qui regardait la première Stéphanie de loin, de haut, comme une dépouille – vieille mue de serpent abandonnée. La nouvelle langue pénétrait en Stéphanie par l'intelligence ou par l'âme, en tout cas elle venait par en haut – le professeur Zorine dit qu'elle entre par les couches supérieures du cortex, suit une voie descendante pour exciter à la fin seulement les sens, les organes, le sexe. « Vous confirmez mon hypothèse, mademoiselle Delacour : ce n'est pas la perception qui stimule le langage, mais, à l'inverse, le langage qui provoque la perception. Vous connaissez mon modèle, que j'appelle *top down* : une notion moderne et concise, vous l'admettrez, qui résume parfaitement ce dont il s'agit. Tout nous vient d'en haut : au commencement était le Verbe, comme on disait autrefois. »

Elle ne le connaissait pas, ce modèle, mais elle était prête à accepter qu'une nouvelle langue précède un nouveau corps ; à condition d'ajouter au modèle *top down* de Zorine un autre modèle, tout aussi indispensable, appelons-le *bottom up* : lente, paresseuse, sensuelle, la montée commençait par le chatouillement des odeurs, le tremblé des sons, quelques soupçons de couleurs et leur mise en ébullition, puis s'éclaircissait jusqu'à choisir des mots, ce qui revenait à les inventer, ou, plus modestement, à renouveler leurs sens ridés. Tant qu'elle n'avait pas accès à la seconde étape de l'alchimie, Stéphanie restait une somnambule dans l'autre langue – celle du *top down*.

Pauline était-elle somnambule elle aussi, ou bien parvenait-elle à se réincarner ?

Certains deuils laissent un choix aux individus qu'ils abattent : se pétrifier ou muer. Devenir folle ou changer de langue. La mort cadavérisée ou la mort qui vit d'une vie greffée. Pauline possédait une intelligence et une maîtrise de soi aussi exceptionnelles que sa passion pour Aimeric. Elle avait eu la force de choisir la greffe : langue étrangère, plus exil. Méchante chirurgie qui vous sectionne les racines, opérant une fécondation artificielle. Dans vingt pour cent des cas, il en résulte une grossesse heureuse : la manipulation linguistique – comme la génétique – produisant son embryon, la suicidaire Pauline revécut une vie de soignante. Qui ne se séparait jamais ni de sa trousse de chirurgien, ni de ses gants.

– Je rentre de Santa Barbara, figurez-vous, Pascal n'a pas pu m'accompagner, je vous avoue que je ne m'en plains pas, d'autant moins que ce voyage a été un véritable triomphe ! (Odile était en train de terminer la petite histoire bretonne en bouclant la boucle sur ses propres performances.) J'adore ce pays, un vrai paradis pour les gens entreprenants qui ont quelque chose dans le ventre. Compte non tenu, évidemment, de cette monstrueuse affaire, pas vrai ? pauvre Gloria ! (Les conventions voulaient qu'on se souvînt de la victime, sinon de l'amie.) Mais, comme je l'ai expliqué à Pascal, je trouve en somme cette juridiction santabarbaroise très sage, vous êtes de mon avis ? Bob, qui a obtenu la succession de sa sœur, est devenu le tuteur de Jerry en attendant la majorité du petit – et peut-être après, cela dépendra de son évolution. Bien entendu, l'oncle a confié l'enfant à Pauline ; avec l'approbation du tribunal, cela va sans dire. Gloria n'aurait pas souhaité mieux si on veut bien se donner la peine d'imaginer qu'on demande à la mère de désigner *post-mortem* sa propre remplaçante, vous me suivez, ma chère Stéphanie ?

L'heure du dîner chez ses amis dans le IIIe arrondissement était depuis longtemps passée : Stéphanie devait prévenir qu'elle les rejoindrait seulement au café, hélas, urgence professionnelle... Le bar s'était vidé, la pénombre dépeuplée paraissait sournoise à côté du salon clinquant où seul un couple d'Américains continuait de s'adresser des banalités en hurlant, comme pour couvrir une tempête au bord du lac Michigan. Stéphanie pensa que, dans toutes les mises en scène, les cris et les lumières contrastées sont là pour laisser présager le drame. Le malaise tendait la soie rouge des sièges baignés d'halogène, les maîtres d'hôtel semblaient se détourner, gênés par tant d'ostentation humaine et mobilière. La journaliste remonta la rue d'Assas en taxi, découvrant pour la première fois que ce couloir insolemment austère, long, au cœur d'un quartier aux proportions plutôt gracieuses, était franchement sinistre. Elle avait envie de se laisser conduire sans rien voir autour d'elle, d'oublier à nouveau Paris, de remettre de l'ordre dans les révélations inattendues d'Odile.

Et si Pauline Gadeau était devenue folle, ce 15 août de la noyade d'Aimeric, à la fête de l'Air célébrant l'Assomption ? Chimère diabolique, double, avec ses deux cerveaux, gauche et droit, *top down* et *bottom up*, ou n'importe quoi d'autre pour faire plaisir à Zorine ? Si la bonne Samaritaine ne faisait que promener un cauchemar incurable et qui attendait son heure pour que la perte du frère s'oublie dans la possession d'un fils ?

En y repensant plus tard, Stéphanie ne pouvait s'expliquer ni le pourquoi ni le comment de ce soupçon à l'égard de Pauline, qui, après tout, ne reposait sur aucun fondement logique. Rien que des connexions hasardeuses dans un cerveau surchauffé par l'alcool, celui de la journaliste, sans compter peut-être un zeste de misogynie (« N'est-elle pas un peu misogyne, Delacour ? » chuchotaient ses collègues femmes de *L'Événement* en la voyant préférer sa solitude à leur compagnie). Pourtant, la vision s'imposa avec cette obstination qui est celle de nos propres fantasmes quand nous les ignorons et qu'ils ne nous ferment pas complètement la porte des autres.

Restait à découvrir l'essentiel. Le mobile obscurément pressenti par Stéphanie paraissait vraisemblable, quoique trop subtilement psychologique. Mais Rilsky était capable de comprendre, au sortir d'un concert et moyennant quelques explications. Il fallait aussi trouver les preuves, ce qui n'était pas impossible, à condition d'être sur place. Il y avait sûrement un nouveau scandale à Santa Barbara qui nécessitait un déplacement de « notre envoyée spéciale ».

Décidément, Stéphanie ne comprenait pas que les gens pussent faire un autre métier que celui de journaliste ; de nos jours, avec tous ces crimes, il fallait être journaliste pour garder les mains libres, et l'esprit si possible, après trois White Lady... ou quatre. Elle ne savait plus.

4.

Si vous avez la chance de porter un projet, la plupart des événements qui se produisent autour de vous tombent à pic et viennent occuper des cases qu'on leur croirait prédestinées. Votre existence se transforme en une ruche dont chaque alvéole, au lieu de rester vide et stupide, se remplit du miel des événements qui vous assaillent pour confirmer votre bonne étoile, ou le destin – à moins que ce ne soit l'obstination du projet lui-même qu'on appelle un destin.

Les locaux de *L'Événement*, nouvellement refaits en blanc avec cloisons chic, bureaux toc, fax, minitel, Internet, E-mail et ordinateurs en tous genres, évoquaient, quoique de loin, ces salles d'opération immaculées et supermodernes qui traduisent de nos jours l'effort ultra-technique pour affronter la mort. « L'événement c'est la mort », répétait le professeur Zorine ; Stéphanie n'aurait su dire s'il se moquait du journal ou s'il livrait en aphorisme la quintessence de sa sagesse clinique. « Heureusement, tout le monde n'est pas au courant, car ceux qui le savent sont parfois les plus dangereux. Que faire ? Pas grand-chose, sinon essayer de les analyser. De fait, les meilleurs sont déjà sur les divans. Ce qui donne moins de criminels mais plus de canailles, parfois aussi quelques êtres humains. Je veux dire des gens indulgents qui écoutent. Vous me trouvez minimal ? Vous espérez mieux ? Moi pas, je me contente de chercher une certaine qualité de l'indulgence. »

Avec un programme pareil, il avait de quoi faire, Zorine, que ce soit à Santa Barbara ou à Paris. En attendant, et sans aller jusqu'à ces subtilités, puisque la mort seule fait événement de nos jours – le professeur n'avait pas tort –, autant l'étaler à la « une » ou à l'écran, aux heures des repas, si possible aseptisée, pansée, servie avec une dose de bonne volonté humanitaire, le raccourci des cameramen, sans oublier les bons mots des reporters. De fil en aiguille, la salle de rédaction elle-même, par sa fonction comme par son apparence, était devenue un maillon de la chaîne de sous-traitance de la mort. Il n'en fallait pas davantage pour que l'industrie du crime mafieux, affairiste ou politique, vînt se loger au centre des intérêts des spectateurs – de chacun, donc – tout en transformant les uns en complices potentiels d'une fraction donnée de l'industrie du crime aux yeux des autres, non moins susceptibles de complicité avec une autre fraction de la même industrie. « L'événement c'est la mort. » La sensibilité aiguisée et sans doute congénitalement maladive de Stéphanie, encore aggravée par le récent monologue d'Odile Allart, lui faisait sentir, dès qu'elle franchissait la porte ripolinée de *L'Événement*, comme une odeur fétide de formol, typique des salles d'autopsie ; tandis que ses collègues lui donnaient l'impression de raser les murs dans l'attente des gyrophares annonçant une descente de la Brigade des Décès non élucidés du ministère de l'Intérieur.

Par malheur, ou par chance, les choses se présentaient aujourd'hui plus simplement. Le trafic de matières radioactives qu'on redoutait depuis un an avait brusquement pris de l'ampleur, Santa Barbara était en passe d'en devenir la plaque tournante. Quelque 350 grammes de plutonium 239 avaient été interceptés à Santa Barbara même. Les services secrets internationaux avaient infiltré la pègre locale, révélant l'existence d'une véritable mafia de l'atome. Il est vrai que l'A.F.P. venait d'identifier l'échantillon intercepté comme étant du plutonium enrichi à 87 %, peu propice à la fabrication d'une bombe atomique. Par ailleurs, tout le monde en était d'accord au journal, ou faisait semblant de l'être : on ne pouvait vendre de l'uranium ou du plutonium comme de vulgaires barres de fer. Toutefois, puisqu'il fallait bien créer l'événement pour passer le creux politique des mois d'été et faire oublier la courbe ascensionnelle du chômage, l'effondrement de la gauche et l'implosion de la droite, *L'Événement* titra : « Pourquoi cette subite multiplication de plutonium au marché noir ? » Le rédacteur en chef en personne expliquait qu'il fallait certes 8 kilos de plutonium et 25 kilos d'uranium enrichi pour fabriquer une bombe atomique, que le trafic actuel était donc encore loin du compte, mais que « le plutonium est en soi un poison extrêmement dangereux ». Qu'on se le tienne pour dit ! Combien d'empoisonnements non encore élucidés, et d'autres à venir, pareillement non élucidés, pourraient désormais être mis sur le dos du plutonium ?

La psychose commençait à monter, il était indispensable que « notre envoyée spéciale » fût dépêchée à Santa Barbara. « La mafia de l'atome », par Stéphanie Delacour ! Encore un *scoop*, elle ne se prive de rien ! Eh bien, tant pis, quoi qu'en pense sa collègue de *L'Événement littéraire*, vouée à la jalousie par son job même –

car elle savait ce que tout le monde savait depuis longtemps, à savoir qu'il n'y avait plus de livres-événements, en dépit de ses efforts pour persuader du contraire le lecteur crédule, mais pas tant que ça... –, Stéphanie reprendrait l'avion, déterminée : elle avait des raisons beaucoup plus personnelles d'aller retrouver Northrop Rilsky.

5.

– Chère ! N'allez pas croire que Santa Barbara soit en train de devenir une puissance nucléaire ! Je sais bien que vous nous connaissez assez pour ne pas le penser une seconde. En réalité, le plutonium enrichi ne fait que transiter par ici, nous sommes une passoire politique et juridique, n'est-ce pas, la terre promise des affaires et autres *deals*. Destination ? Le Pakistan, la Corée du Nord, peut-être l'Irak, l'Iran. Ils achètent les matières fissiles, et bien sûr, par-dessus le marché, les savants qui fuient l'ex-bloc soviétique pour moins de dollars que ne se vendent les vôtres, d'accord, mais c'est toujours immensément plus que ce qu'ils ont chez eux. Nous risquons un de ces jours d'avoir une petite bombe atomique à Bagdad, pourquoi pas ? Personnellement, je m'efforce d'arrêter le filon quand il passe sous mon nez.

Rilsky s'adaptait à la nouvelle situation avec l'intelligence flegmatique que Stéphanie lui connaissait. La mafia de l'atome était à la fois plus naïve mais plus fluide, plus facile à repérer mais plus difficile à cerner que les clients habituels que récupérait tôt ou tard le cartel de Medellín. Des savants russes ou ukrainiens qui n'avaient rien à voir avec Michael Fish, humiliés de sous-emploi et de famine, se vendaient aux services de petits et moyens États paranoïaques, car les régimes dictatoriaux comme les puissances intégristes poursuivaient leur rêve de domination mondiale en profitant des reliefs de la guerre froide. Il suffisait d'une poignée de devises pour infiltrer les réseaux de ces évadés des centres nucléaires ex-communistes : pas un de ces savants-cosinus nouvellement enrichis par leur business illicite et qui dégustaient la belle vie sur les plages de Santa Barbara n'échappait à la vigilance de Rilsky et de Popov. Les choses se compliquaient dès qu'on essayait de suivre l'itinéraire de l'échantillon nucléaire dérobé, car on se heurtait alors à la géopolitique : le gouvernement santabarbarois, comme tant d'autres, ne souhaitait nullement choisir entre islamistes barbus et militaires ex-rouges. Il jouait tantôt les uns, tantôt les autres, couvrait les uns et les autres, laissait par conséquent des stocks de plutonium enrichi s'accumuler de tous les côtés, pourvu qu'on ne franchisse pas le seuil critique. À ce jeu-là, plus d'un apprenti sorcier risquait de se brûler les doigts.

– Vous voici devenu super flic, mon cher Northrop ! Tout cela va bien au-delà de la Criminelle, vous travaillez pour l'Intérieur maintenant ? Ou est-ce « Secret Défense » ? (Stéphanie, sincèrement admirative.)

– Vous l'apprendrez tôt ou tard, mais c'est moins amusant que vous ne le pensez. Ces gens-là sont des enfants corruptibles, ils n'ont pas les vices des vrais psychopathes. À moins que vous ne tombiez sur des voyous, des empoisonneurs. Ça, c'est du ressort de la Criminelle. Car la mafia de l'atome, figurez-vous, ne lésine pas sur les moyens pour se débarrasser d'un des siens lorsqu'il est agent double. Classique ? Pas tant que ça. On a trouvé à Bourgas le cadavre d'un ex-directeur du centre nucléaire de Tchernobyl complètement irradié. Il avait été empoisonné au plutonium qu'on avait fourré dans son matelas. Vous n'y auriez pas pensé ? Moi non plus. Jamais vu d'empoisonnement aussi coûteux. (Rilsky plaqua avec une grimace les revers de son veston sur sa chemise ce jour-là réséda.)

– J'en étais sûre, vous êtes le seul homme au monde qui ne s'ennuie jamais. Pendant que Fish et Brian croupissent en prison et que l'affaire Harrison semble définitivement réglée... (Stéphanie, prudente, revenant à son dada.)

– Fish en a pris pour dix ans, mais il sera libéré bien avant. Normal, car la mafia de l'atome, qui, vous vous en doutez, touche au gouvernement dès que le circuit devient international, est fille de la mafia d'hier. Je ne serais pas autrement étonné de voir les atomistes d'aujourd'hui venir pêcher notre Fish dans sa cellule pour leurs magouilles à eux. Quant à votre Brian Wat, il s'en est tiré avec trois petites années, pour corruption. Il risque de les purger jusqu'au bout, car personne n'a vraiment besoin de lui maintenant qu'on trouve sur le marché des hordes de jeunes gens doués des mêmes compétences, parfois l'épilepsie en moins. L'enquête est en effet bouclée. (Rilsky et Stéphanie, les yeux dans les yeux.)

– Le *serial killer*, Tyson je ne sais quoi, ne peut pas être l'auteur de la décollation. (Stéphanie, montant au poker.)

– ... (Rilsky, joueur impassible.)

– Jason Machin-Chouette a été mis hors de cause, puisqu'à l'heure de la guillotine notre récidiviste tailladait la gorge d'une autre malheureuse. Quant au coup de poignard chérubinique de Tyson, il précède d'au moins douze heures la décapitation. C'est vous dire que je lis les rapports du labo, moi. (Stéphanie, l'air de se faire extorquer ce qu'elle accordait librement. Elle avait oublié que Rilsky n'aimait pas qu'on dérange ses conclusions.)

– Je vais vous dire le fond de ma pensée. Il est impossible à une femme qui veut survivre de ne pas devenir la petite pute de son milieu, comme dirait Popov. (Le commissaire ne détestait pas le parler « flic », mais seulement dans les circonstances très graves.) Une solution : se retrancher derrière les règles du métier comme derrière la pression d'une vocation. Si elle réussit, la foule applaudit le génie au féminin. Si elle échoue, on se gausse de la sainte, de la martyre, de la refoulée ou autres caricatures de la servitude volontaire. Mme Harrison échappait aux deux excès parce qu'elle était la mère douloureuse que vous imaginez. Mais, du point de vue où je me place, on pourrait affirmer sans risque de se tromper que cette maternité qu'elle prenait trop au sérieux lui volait aussi bien le succès que l'échec, le génie que le ridicule, bref, l'enlisait dans le quotidien – qui est le comble du mauvais goût. (Rilsky semblait si absorbé dans son raisonnement qu'il en louchait presque.) A-t-elle voulu secouer un destin aussi inesthétique ? C'est possible. Mais, dans ce cas, il faut savoir jouer avec la prostitution et le crime, nous y voilà ! Eh bien, votre Gloria en était parfaitement incapable, c'est le moins qu'on puisse dire. Et quand on n'y connaît rien, on est rarement le bourreau, on se fait plutôt victime, à tel point que n'importe qui peut vous régler votre compte, ma chère Stéphanie. (Rilsky venait d'arborer son air d'espion informé et désinvolte.)

– Vous avez parfaitement raison, et cela ne nous mène nulle part. Je dis simplement que le *serial killer* qui a peut-être poignardé Gloria ne peut être l'auteur de la décollation. (Stéphanie, déçue d'une parade aussi vulgaire de la part de Northrop.)

– Voilà une affirmation qui n'est pas dépourvue de fondement. J'y verrais même l'ébauche d'une nouvelle hypothèse qui se défend. Toutefois, faute de preuves, je pense honnêtement que nous pouvons nous en tenir à la mienne. (Rilsky, se décidant enfin à relever le défi, comme s'il n'attendait que cela.)

– Pas d'autres zones d'ombre dans votre enquête ? (Stéphanie, petite fille insolente.)

– Pas que je sache. (Rilsky, ironique mais hésitant.)

– Ah bon ! (Stéphanie, brusquement blasée.)

– Vous adorez me prendre en flagrant délit de négligence, ça ne manque pas de charme. Bon. Si vous voulez. Pas grand-chose. (Après tout, la jeune fouineuse pouvait être utile et sans danger, puisque cette embarrassante affaire Harrison était désormais close et que tout le monde était casé.) Votre amie Gloria a été intoxiquée par le Rohypnol qu'elle prenait habituellement, mais aussi par l'Élavil, qui ne lui avait jamais été prescrit. (Rilsky, jetant l'hameçon.)

– Un antidépresseur. (Stéphanie, neutre.)

– On ne peut rien vous cacher. Rien d'extraordinaire, ces substances sont faciles à trouver sans ordonnance à Santa Barbara, il suffit de connaître son pharmacien. Point n'est besoin d'un proche déprimé qui vous veut du bien et verse ses propres remèdes dans votre breuvage. (Rilsky, un cran plus neutre.)

– Pauline Gadeau, adolescente, est restée longtemps sous antidépresseurs après un deuil, en France. (Stéphanie, happant l'hameçon.)

– Ah oui ? Amusant. Vous en savez, des choses. Dans ce cas, je peux vous dire qu'elle en a eu besoin récemment ; Popov le tient de sa pharmacienne, précisément.

Quoi qu'il en soit, n'en parlons plus. Comme vous le savez, le testament de Gloria Harrison a été invalidé par le Tribunal, Fish a perdu sa part sur l'héritage ; c'est Bob qui gère tout le patrimoine. Le petit Jerry a eu de la chance, Pauline Gadeau s'est révélée une vraie mère pour lui, vous voyez ce que je veux dire. Avec l'accord de Bob, ils logent tous deux dans la maison, tout le monde reconnaît que c'est plus pratique pour les séances d'orthophonie. Je suis sûr que vous partagez cet avis, ma chère Stéphanie, inutile-de-vous-le-dire. D'ailleurs, vous devriez leur rendre visite, ils sont adorables. (Rilsky, innocent, sautant sur l'occasion pour refiler à sa consœur détective les reliquats de cette inconfortable affaire Harrison qui, mafia de l'atome ou pas, était en passe de tourner au cas de conscience pour le commissaire de Santa Barbara.)

6.

Quel meilleur prétexte que la panne de mon portable pour demander à Bob d'inviter son neveu au cube-laser que j'ai réintégré, comme d'habitude, à Santa Barbara ? À la mort de sa mère, Jerry avait troqué sa passion des jeux vidéo pour une obsession des ordinateurs dont il connaissait déjà le maniement, comme beaucoup de jeunes gens de son âge, mais qu'il ne tarda pas à maîtriser avec une virtuosité exceptionnelle.

Je ne l'avais jamais vu en tête à tête. L'effet démesuré de ses yeux noirs, qui surprenaient sous la chevelure blonde, jetait un trouble qu'aggravait sa diction laborieuse mais singulièrement nette, et qu'exagérait probablement mon souvenir du carnage.

Il m'est plus facile d'être naturelle dans les situations difficiles, sans doute parce que c'est plus efficace. Je lui déclarai d'emblée que j'avais beaucoup de chagrin pour sa mère. Il ne se déroba pas, mais ne se montra guère bouleversé. En un an et demi, Jerry Novak avait cessé d'être un petit garçon. J'avais devant moi un adolescent qui devait déjà raser quelques poils sur ses joues couleur de blé, veiller aux coupes de ses blousons et intéresser les filles. Les yeux ailleurs, il se tut un bon moment, comme s'il essayait de ne pas donner la même réponse à l'épreuve que lui infligeaient sans exception tous les amis et connaissances de sa mère. S'il était resté à la maison dans la nuit du samedi 15 au dimanche 16 octobre, le drame ne se serait pas produit, estimait-il. Pour des raisons fort différentes des siennes, j'en étais arrivée à la même conclusion, mais je voulus savoir pourquoi il avait eu cette idée. C'était très simple, m'expliqua-t-il : s'il avait été là, sa mère aurait moins bu ; en outre, le sachant à côté, elle n'aurait pas pris autant de somnifères, car elle préférait surveiller le sommeil de son fils comme s'il était toujours un bébé fragile ; enfin, Michael Fish aurait tenu compte de sa présence dans la villa ainsi que de celle de Pauline, puisque l'orthophoniste aurait dormi dans l'atelier de Stan, comme elle le faisait aux veilles de vacances, avant de conduire son élève chez elle, à la campagne. *Ergo* : jamais un *serial killer* n'aurait pénétré dans la chambre de sa mère.

Ma version des faits ne suivait nullement cette hypothèse, mais je n'avais aucune envie de contrarier Jerry. Sa maîtrise de la mort m'impressionnait. Sa jeunesse avait suturé l'horreur sous un réseau de raisons, transmuant la coupable douleur en obstination logique. L'erreur s'y résorbait en dysfonctionnement. Une faute logique est grave, mais compréhensible. Impardonnable peut-être, mais on peut s'en dissocier. Livrée à elle-même, la conscience raisonnante ne diffère pas d'un système informatique qui commet des ratés parfois irrémédiables, sans jamais se confondre avec eux. Je me demandais si ce comportement était le trait d'une génération ou le produit paradoxal du dévouement de Gloria. Je n'avais aucun mal à imaginer qu'une mère angoissée et surprotectrice puisse induire chez son fils la construction d'une carapace de froideur – rituels névrotiques et prodiges intellectuels destinés à l'isoler de la ventouse possessive, et lui conférant le caractère d'un Indifférent. Jerry avait sans doute terriblement souffert du massacre de sa mère mais, au lieu de subir le meurtre dans sa propre chair ou dans son esprit – comme on voudra –, il avait préféré *comprendre* : comprendre ce qu'il aurait dû faire avant et ce qu'il lui restait à faire à présent. À moins qu'il n'eût pas souffert du tout, ou très peu, la disparition de sa mère entraînant juste quelques changements d'habitudes, mais pas tant que ça, puisque Pauline était là pour prendre le relais. Ce n'était pas exclu si on admettait, comme j'étais prête à le faire, que Jerry avait survécu à l'emprise passionnelle de Gloria en se mettant à l'abri derrière ses stratégies vidéo, son génie faussaire de Picasso et, aujourd'hui, ses prouesses informatiques. Quelle importance ? Le discret chagrin du fils, si diaphane qu'on pouvait le croire inexistant, était-il une défaite pour Gloria, une de plus ? ou, au contraire, sa meilleure réussite ? Après tout, son fils handicapé n'avait plus besoin d'elle. Trêve de deuil, vivent les automates plutôt que la passion et la mort – la passion de la mort ! En somme, Gloria avait fait un suprême cadeau à son enfant en le débarrassant du fardeau de la femme-mère. Mort-cadeau, ultime présent à ceux que nous aimons, qui nous en aiment forcément un peu moins.

Je décidai de laisser ces méditations incertaines à plus tard et fis un effort pour suivre la voix monocorde de Jerry, une de ces voix qui ne captent pas l'attention, mais que j'étais justement venue entendre : il était en train de me raconter ces quarante-huit heures qui n'auraient pas été ce qu'elles avaient été s'il n'était pas parti bien avant le fin du dîner – avec Pauline. Peu après le drame, Jerry avait rencontré le commissaire qui, pour être juste, l'avait interrogé brièvement, comprenant qu'il était encore sous le choc. Il eût été insensé de commenter une cruauté pareille ; logiquement – car Jerry était un esprit logique, tous ses professeurs en convenaient –, qu'avait-il à dire au commissaire, si ce n'est qu'il avait quitté la maison de sa mère en compagnie de Pauline, vers 22 h 30, pour les vacances de la Toussaint ?

– Vous êtes partis vers 22 h 30 ?

– Oui, Pauline m'avait promis de m'emmener en vacances chez elle, à Bourgas, ça tombait bien, maman avait un boulot urgent à finir. On est arrivés bien après minuit, peut-être vers 1 heure, je ne sais pas, moi, Pauline conduit lentement, elle a toujours peur. Surtout la nuit. On était claqués après une semaine chargée, le dîner et tout. Dormi toute la matinée du dimanche, déjeuné tard, les vacances, quoi. (Ses mots s'égrènent, mécaniques, embarrassés. Une voix artificielle, d'outre-tombe, un peu aiguë, interrogative.)

– Rien de spécial ? Je veux dire, ce dimanche-là, avant qu'on ne vous annonce... (J'hésite.)

– Le crime. (Il n'hésite pas.) Je ne crois pas. Comme d'habitude, Raphaël est venu l'après-midi, un copain, voisin de Pauline, on se retrouve toujours aux vacances, il aime les jeux vidéo lui aussi, mais il est bien moins fort que moi, il a moins de matériel. Il vient donc jouer, je vais chercher mon *game gear* et mes cartouches, parce qu'on joue à deux avec le *gear-to-gear*, et qu'est-ce que je vois ? Pas de console dans mon sac de voyage, pas de cartouches, rien. Je ne sais pas si c'est moi qui avais l'esprit ailleurs ou si c'est maman, on préparait toujours les valises ensemble, en tout cas on avait oublié toute la panoplie. Catastrophe. Pauline a tout de suite compris que ça allait me gâcher mes vacances. Elle est repartie dare-dare à la maison pour chercher mon appareil, elle sait où je le range ; d'ailleurs, une fois de plus, je lui ai tout expliqué, par précaution. (La pensée semble juste, mais la bouche grimace légèrement ; la voix, comme synthétique, rend l'échange irréel. Je me sens piégée.)

– Pauline est repartie... vers quelle heure ?

– Oh, je ne sais pas, moi, voyons... Raphaël a dû venir vers 3 heures, peut-être qu'elle est partie à 4 heures ? Une vraie corvée, à part ça, avec les embouteillages du week-end en prime, elle a dû se farcir deux cents kilomètres aller et deux cents kilomètres au retour, on ne l'a pas revue avant 11 heures du soir, je suis allé dîner chez les parents de Raphaël, on commençait à s'inquiéter pour elle. (La logique de Jerry déroule le tapis des événements ; son handicap ne semble aucunement le gêner ; je continue de l'observer avec méfiance ; ses gestes me paraissent convulsifs : aurait-il tout son équilibre ?)

– Vous vous inquiétiez pour Pauline.

– Et comment ! Elle est arrivée superclaquée, toute pâle, je crois bien qu'elle tremblait, elle tremble de froid quand elle est fatiguée, Pauline. Et elle a surtout froid aux mains, c'est pour ça qu'elle porte des gants.

Ce n'est pas du froid que Pauline protège ses mains, mon pauvre Jerry , avais-je envie de lui souffler, mais du sang qui suinte d'une artère lorsque le scalpel l'attaque.

– Elle avait ses gants quand elle est rentrée ce dimanche-là de Santa Barbara ? (Moi, le plus distraitement possible.)

– Je crois, elle avait même enfilé son imper par-dessus son T-shirt, tellement elle avait froid.

– Peut-être voulait-elle cacher ses vêtements ? (J'y vais fort, histoire de voir.)

– Comment ? Ah, je vois ce que vous voulez dire. Elle n'est pas très élégante, Pauline, rien à voir avec maman, mais elle ne se cache pas non plus, non, elle s'en fiche ;

elle était simplement toute pâle et elle tremblait. Je crois... Il faisait pourtant encore chaud à cette époque-là, une sorte d'été indien interminable, tout le monde l'avait remarqué. Mais Pauline a froid quand elle est fatiguée, vous comprenez, elle est comme ça. Moi, j'étais ravi de récupérer mon *game gear*... Après une bonne nuit, Pauline était de nouveau en forme. Sauf que, le lundi vers midi, on nous a téléphoné, on ne nous a pas tout dit tout de suite, j'ai compris que quelque chose de grave s'était produit à la maison, maman ne répondait pas, j'ai cru à un accident, on a pensé à Fish, maman était peut-être partie le retrouver. Puis le lieutenant Popov est venu, voilà.

Il raisonne en adulte. Qu'est-ce qu'on lui trouve de bizarre à cet enfant ? À sa place, j'aurais raisonné comme lui. À une différence près, peut-être, mais je ne peux quand même pas demander à Jerry de penser comme moi.

– Tu as pleuré ?

– D'abord, je n'ai pas compris. Puis j'ai pleuré, sûr. Puis je ne me souviens pas.

– Et Pauline ?

– Tout le monde l'a dit : impeccable. Pauline ? Impeccable. Je n'ai qu'elle maintenant, vous comprenez ?

Je comprenais. Tout le problème était là. En dépit de son esprit logique, Jerry était tout de même un petit garçon. Non, il n'avait pas pensé une seconde à ce à quoi j'avais pensé, moi. Il n'avait plus pensé du tout.

Je peux tenir tête aux hommes, mais je ne résiste pas à un enfant. Ma peau devient perméable, l'enfant s'infiltre en moi, je diffuse en lui ; fluide des fibres et des mots, la tendresse est pure enfance incorporée. Mais ce logiciel handicapé, avec ses grands yeux vagues, braises de satin, là, devant moi, me bouleversait bien plus encore que la mer mêlée au soleil.

La méchanceté des gènes qui s'était abattue sur lui déferlait désormais sur moi ; je me sentais menacée de surdité, de débilité, d'incurable idiotie. Simplement menacée, parce qu'il s'en sortait à merveille, le logiciel Jerry. Vous ne l'avez pas encore remarqué ? Mais si, la handicapée, c'est moi, il suffit de bien me regarder, vous me verrez telle qu'en moi-même Jerry me révèle. Comme lui, je pourrais être, je suis en proie à la vengeance d'on ne sait quels dieux antiques. Mais silence ! Ce n'est pas une raison pour le laisser tomber.

Ma peau refait surface, je me solidifie, le petit pantin blessé peut s'appuyer dessus. L'amour a fait refluer la peur qui cristallise en caresse. Silence. Je caresse la blessure dans la voix de Jerry. Il m'a eue.

7.

Ma tête ne peut pas rester vide. Le matin avec sa grande odeur verte m'impose une fatigante, une lumineuse hallucination. Un visage tend à occuper ma hantise et dans mes angoisses puise une force conjuratoire. Poussée par l'accablement du sort, l'histoire m'apparaît dans la conque d'une certitude.

Je ne me souviens que très vaguement des traits de Pauline mais je sais que ce sont les siens. Une face de poussière. Les yeux gras, ternes comme des billes de savon. Les mains noueuses, veinées, vieillies avant les autres organes, pendent de chaque côté d'un corps de jeune fille oubliée. Comme une bête absolument distincte d'elle, sa bouche vient au-devant de moi. Une bouche exercée, habile mais muette, elle ne dira rien. Cette histoire est de moi.

Depuis vingt ans, la femme est morte. Une image de synthèse vit à sa place dans une autre langue, un autre pays. Mais, à force d'amour, la synthèse s'incarne. L'amour de Jerry fait de Pauline une mère. À l'ombre de Gloria. Qu'importe, l'amertume est encore une expérience, et la jalousie peut remplir de fierté une femme qui la surmonte. Une étrangère est une suppliante, à Santa Barbara. Pauline Gadeau saura s'effacer, supplier, suppléer. Pourvu qu'on ne touche pas à son amour pour Jerry, pourvu que Gloria ne lui enlève pas la grâce de faire naître Jerry une seconde fois, que dis-je ? mille et une fois, à chaque nouvelle parole acquise. L'amour contrarié est l'onde porteuse de la haine.

Fish insiste pour écarter Jerry, l'envoyer en pension, en Suisse, peu importe ; prendre l'argent de la mère, l'épouser même, ben voyons ! et, pourquoi pas, déshériter le fils. Amoureuse, velléitaire, Gloria est prête à céder ; Pauline entend les négociations, sent venir la menace. L'image de synthèse ne résiste plus. Son reflet se procure l'Élavil, le substitue aux somnifères. De tous les convives du dîner de ce samedi 15 octobre, Pauline seule avait accès à l'armoire à pharmacie de Gloria... L'affaiblir, l'empoisonner lentement, ou la tuer, avec un peu de chance, sur le coup ; sauvegarder la paix de Jerry, reprendre en main son sort, sans rivale, sans scènes de ménage, rien qu'eux deux, Pauline et Jerry, mère et fils – frère et sœur, résurrection ! Elle ne sait pas ce qu'elle fait : quand on est virtuelle, on ne sait jamais au juste si ce qu'on fait est fait, si on fait ou si on imagine, si on est vu ou si on n'est pas : voir ou être, ni voir ni être, les deux à la fois ou aucun des deux. La haine que Pauline ignore n'ignore pas sa rivale, que Pauline connaît. Elle profite de l'agitation du dîner, des bagages à préparer, de la veille du départ en vacances, se glisse dans la salle de bains, remplace les comprimés de somnifères par ceux d'Élavil dans le flacon : frapper Gloria à la bouche, au ventre, jusqu'au sang, l'étouffer, l'étrangler, la noyer. Elle se rassied au bout de la grande table avec les invités de second rang, la grise orthophoniste de Jerry, elle, moi, image de synthèse que l'amour fait vivre autant que la haine.

Faire deux heures d'autoroute aller et deux heures retour, pour un jeu vidéo et ses cartouches : absurde. Pas une mère ne le ferait ; elle renverrait son fils à des occupations plus sérieuses, la lecture par exemple. Mais Pauline Gadeau n'est pas une mère, Jerry lui est plus qu'un fils. Elle lui a donné la parole, autant dire une âme, et ne vit désormais que pour lui.

Secrètement, une passion blanche faite de sons et de regards, bouches et gorges articulant ensemble dans une attention de tous les instants, l'a nouée à l'enfant. Pauline s'est logée dans son être muet, elle a ouvert ses oreilles pour lui ; depuis le monde silencieux du petit garçon qu'elle est devenue, elle s'est mise à prononcer comme si elle était lui. Osmose sous-marine, communion des dauphins, ultrasons inaccessibles aux humains. La bouche de Pauline est dans les yeux de Jerry. Jour après jour, le petit glouton optique mange les dessins de ses lèvres, les imprime à une voix à peine audible mais dont il sent le souffle lui frôler le palais, pour faire résonner un « a », un « o », un « i », un « p », un « l », un « n » – « Pauline ». Dessin buccal pour lui, contour sonore pour elle : « C'est ça », « Tu y es », « Je te souris », « Tu me souris », « Je te reçois, Jerry ». Quand la bouche écoute, l'œil absorbe la bouche : bouche et œil à l'unisson remplacent l'oreille morte, modulent la voix ; Jerry se fait entendre. Il a besoin de Pauline pour tracer ces chemins inouïs des lèvres aux prunelles et aux cordes vocales, puis, de cette carte muette, faire bruire des paroles. On n'imagine pas les plissements de lèvres, les paysages de gorge que les yeux de Jerry doivent saisir sur Pauline pour les regraver dans son corps à lui, avant qu'advienne un mot. Le silence brouillé demeure aux oreilles du sourd. Mais, d'une pulsation sensée, sa bouche et son regard revivent la musique des perceptions – mélodie visiblement incarnée. Deux bouches, deux gorges, deux paires de pupilles, et seulement deux oreilles pour deux. Un travail de fourmis ? La parole n'est pas innée, la parole naît d'un amour qui écoute.

L'orthophoniste n'existe que si elle vit en miroir sensible du demi-sourd. Elle éprouve son souffle, son larynx, son menton, ses pommettes, sa poitrine, sa paroi nasale, ses mouvements de langue : elle les lui montre, les lui fait savourer ; ils vibrent ; il les découvre, les fait agir, et ce territoire de chair qui se met en mouvement pour elle, par elle, émet des sons, une parole, pour lui et pour elle. Il s'entend mal, à peine, pas du tout. Mais elle l'a reçu, Pauline-miroir renvoie cette saisie, et Jerry est un lecteur sagace. Il regarde, sent, lit son reflet. Il apprend ainsi que la parole a lieu, qu'un langage éclot en lui par la lecture qui supplante l'écoute. La lecture est une entente visible, Jerry lit mieux qu'il ne parle. Pauline a gagné.

Rien de mieux que les vacances pour avoir Jerry entièrement à elle. Plus de séances entrecoupées d'abandons. Un seul temps continu, alliages et distances, l'abri du lien que ne menace aucune rupture. Vivre avec lui au jour le jour, entre l'herbe et l'eau, le jardin et la plage, au rythme du sel qui mûrit dans les marais, des canards qui ponctuent l'écrin tremblé des étangs. Une famille de colverts sillonne depuis des années le plan d'eau devant la petite maison de vacances que Pauline Gadeau rejoint tous les week-ends et, bien sûr, pendant les périodes de congé, loin des tracas citadins et du service d'orthophonie de Saint-Ambroise. Elle est persuadée que ce sont les mêmes colverts, qu'ils se transmettent de génération en génération le secret des courants chauds et des terres imbibées à l'ombre des fenouils sauvages. Quand on n'a pas de famille, on imagine facilement la constance de celle des autres, fussent-ils des palmipèdes. D'autant plus que les colverts affichent une paix cosmique, la cohésion détachée qu'on voit sur les rouleaux chinois où les volatiles se partagent le divin avec des idéogrammes tout aussi pleins et vides, énigmatiques et déliés. Le mâle et la femelle, légèrement plus gros, encadrent de loin leurs quatre descendants que Pauline a vus tout petits en juin et qui maintenant égalent presque leurs parents en taille et en placidité. Silence. La flottille fait sa sieste à fleur d'eau, le temps suspendu déplace sans bruit les coups de pinceau et la lumière d'après-midi. Un avant-goût du paradis que doivent être ces quinze jours de vacances avec Jerry, que Pauline partage, comme d'habitude, avec ses voisins, les canards, en ouvrant tout grands les volets sur le bras de mer devant la maison.

C'est à peine si Jerry a troublé cette communion lorsqu'il a découvert que ses jeux vidéo étaient restés dans sa chambre, à Santa Barbara. « J'ai oublié de les mettre dans ma valise. Pauline, quel désastre ! » Elle sait qu'il a absolument besoin de cette drogue anodine qui le maintient dans l'enfance, peut-être, mais qui lui permet aussi de se récupérer, de continuer à faire tous les efforts que Pauline lui demande, qui lui sont nécessaires tandis qu'aux autres « ça » vient automatiquement.

Sans réfléchir elle prend le volant, retourne à Santa Barbara comme s'il n'y avait pas deux cents kilomètres qui l'en séparaient. Dans la sueur de l'autoroute encombrée, en cet été indien qui n'en finit plus, Pauline s'aperçoit enfin qu'elle s'éloigne des colverts, de Jerry ; qu'un sens insensé du devoir l'a jetée sur la route, qu'elle est morte de fatigue. Il faut vraiment que Gloria Harrison soit une mère bien distraite, qu'elle ait vraiment la tête ailleurs – et c'est ostensiblement, scandaleusement le cas, ces derniers temps – pour oublier de glisser le jouet préféré de son fils dans sa valise avant de le laisser partir en vacances. On voit bien qu'elle ne pense plus à Jerry, qu'elle a d'autres soucis, sa vie à elle, si on peut appeler une vie ce détournement de la vraie vie qui ne devrait être faite que de la joie de Jerry, de la participation aux progrès de Jerry. Gloria Harrison n'a plus aucune idée de cette vie-là ; en a-t-elle jamais eu ? On peut se le demander, elle ne pense qu'à elle maintenant, à son travail, à sa liaison, et certainement un peu à Jerry, il faut être juste, mais d'une manière si utilitaire, si dogmatique, si possessive que cela n'est pas fait pour aider un garçon qui a besoin de détente, de tendresse, d'un refuge, et sûrement pas des agitations incessantes de sa mère. Une femme dure, cette Gloria Harrison, une femme inconstante, fantasque, égoïste ; ce n'est pas un cadeau, une mère comme ça, surtout quand on a les difficultés de Jerry, la tendresse de Jerry, la finesse de Jerry.

La maison des Harrison semble étrangement déserte après la tension de l'autoroute. Fraîche, vide, à l'ombre des peupliers argentés. Les arbres de Santa Barbara dispensent une impression de jeunesse. Pas comme en France ; en France, les arbres pensent. Ici, ils respirent l'innocence, en tout cas pour Pauline qui les oppose à la brutalité de la route, de la vie, de tous ces gens aux passions pesantes. Pauline a les clés du studio de Jerry et monte directement au premier. Elle connaît par cœur les placards, les tiroirs, et n'a aucun mal à trouver la mallette de jeux vidéo. Franchement, quelle mère fonctionnelle et sans cœur faut-il être pour négliger à ce point les petites joies de son enfant et ne penser qu'à ses propres plaisirs ! Plaisirs primaires, très primaires, de plus en plus primaires. Pauline sent la colère monter et rougir son cou.

Voilà combien de temps que Gloria Harrison et son amant en sont arrivés aux cris, peut-être même aux coups, oubliant que Pauline et Jerry travaillent juste au-dessus et que l'orthophoniste, sinon l'élève, entend tout ? Dieu merci, Jerry n'a rien perçu, rien su, il n'a pas besoin de ça, certainement pas. Mais Pauline a bien écouté, elle, cet impossible Fish réclamer avec insistance quelque chose qu'elle ne comprend pas, des propos confus, Gloria refuser, lui, revenir à la charge, Gloria se défendre, lui, plus violent encore. Pauline devine qu'il s'agit bel et bien de déshériter Jerry : « Comment veux-tu qu'il s'en sorte ? Il est incapable de gérer quoi que ce soit ! Une tête en l'air, un handicapé, laisse tomber, envoie-le en Suisse ! » La voix monte, aiguë, implacable. Gloria pleure, refuse, promet de tout arranger, de faire ce que veut Fish, tout, sans exception, pourvu qu'il reste auprès d'elle, lui, Fish. L'homme claque la porte, comme pour surenchérir ; les sanglots de Gloria montent jusqu'au studio de Jerry. Pauline réalise que Gloria va céder ; pour la première fois, l'orthophoniste sent ce jour-là qu'elle déteste cette femme. Elle ne l'a jamais beaucoup aimée : ces effusions, ces déluges de câlins suivis d'une avalanche de claques... Hystérique sans contrôle, pauvre femme, cette Mme Harrison. On pouvait comprendre à la rigueur, une orthophoniste n'est-elle pas à demi psychologue ? Elle comprenait. Mais ce n'était plus possible. Gloria avait franchi un seuil : elle préférait son propre plaisir à l'avenir de Jerry, elle sacrifiait Jerry, cela méritait plus que du mépris, cela méritait de la haine. Jerry n'a que Pauline pour le défendre. Elle est prête. Il peut compter sur elle. La rougeur envahit son cou, sa tête. Plus de temps. Pauline perd le fil du temps.

Aucun bruit dans la maison. Elle s'approche de la porte-fenêtre du bureau de Gloria, frappe. Personne. La porte-fenêtre voisine est entrouverte. La chambre à coucher. Elle frappe encore. Personne. Elle ouvre, entre. Un corps. Une blessure au sein. Du sang. Gloria inanimée.

Une caméra secrète aurait pu filmer un sourire sur le visage horrifié de l'orthophoniste. Surprise ? Choc ? Secret plaisir ? Les caméras n'interprètent pas ; Pauline est désormais une mécanique. Elle ne sait pas qu'elle sourit, une grimace distend ses lèvres, leur imprime une lointaine angoisse qui ne se contient plus. Elle agit. La chaleur remonte du cou aux joues. Ses jambes la portent dehors, elle regagne sa voiture, prend sa trousse de chirurgienne – souvenir de compétences anciennes, instruments indispensables en cas d'urgence, surtout quand on s'occupe d'enfants, Pauline ne s'en est jamais séparée depuis ce temps d'une autre vie, le temps d'Aimeric. Le stéthoscope confirme les signes extérieurs. Gestes inutiles, mais Pauline les accomplit – petite fille attardée qui ausculte ses poupées. Le cœur ne bat plus. Peut-être plus de douze heures maintenant, la rigidité cadavérique est installée. Est-ce le mot « cadavre » ? Est-ce le visage blafard de cette femme enviée, détestée, désormais réduite au néant ? Pauline retrouve la stupeur féroce qui l'a anéantie vingt ans plus tôt et qu'on nomma alors, quelle légèreté, une dépression.

Le cadavre d'Aimeric ramené à la maison, en Bretagne : une maison de vacances gaie, un air de fête, comme dans celle des Harrison. Aimeric noyé, Pauline noyée, plus de Pauline... La mort du frère est une rage muette, le sanglot sec implose : je me tue. Plus de mots, plus de gestes, vous n'êtes rien, je ne suis rien, je me meurs. Longtemps je fus un cadavre, je suis un cadavre. Comme cette femme obscène qui étale devant moi, dans une flaque de sang sur le parquet, sa chair froide, cette viande offerte. Elle a fait Jerry, elle m'a pris Jerry, elle menace Jerry, elle va l'emporter dans sa vie insensée, elle va le noyer. Elle ou moi, Aimeric ou Jerry, une lame nous broie, je la hais, je hais la mort. Une mère détruit son fils. Son fils, à qui ? Son fils, à ma mère ? Aimeric ou Jerry ? Son fils. Mon fils. Aimeric n'était pas mon frère, je l'ai porté dans mes bras quand il était bébé, je l'ai nourri quand ma mère partait au labo, je lui ai appris à marcher, à parler, à lire. Comme à Jerry. Son fils à elle. Gloria est une mère indigne. Toutes les mères sont indignes. Pas seulement parce qu'elle est prête à le déshériter, lui donne des claques et oublie son *game gear*. Non, c'est plus grave. La mère n'est pas dans le coup, la mère n'est jamais dans le coup – légère, emportée, trop ceci ou pas assez cela, intellectuelle, irréaliste, trop réaliste, pas assez intellectuelle, toujours irréelle. Une femme impuissante, déprimée, c'est ça, une mère, voilà le mystère. Comme moi. Je hais. La haine ne fait pas qu'imploser, blanc brasier qui me consume depuis vingt ans déjà, pleurs, insomnies, envies niées, jalousies repassées, colères muées en soins. La haine tranche. Le scalpel déplie les chairs, les vertèbres s'ouvrent sous sa précision, les os cèdent : j'incise. Je me découpe d'elle, me retranche de la mère qui noie, me détache de ce cadavre que j'étais et que je ne suis plus. Je lui sectionne son pouvoir, lui enlève ses signes de reconnaissance, elle manquera bêtement, cruellement, de vigie et de gloire, pauvre chère Gloria, son ultime ornement partira aux ordures, plastique-coffre-et-poubelle-d'autoroute, même son fils ne reconnaîtra pas ses restes. Est-ce qu'on s'appartient, sans tête ? Un corps sans tête n'a rien à soi, il n'y a plus de soi, on n'a donc plus rien à soi, ni sien ni sienne, ni mon ni ton, ni son – son quoi, son fils, ton fils, mon fils ? Aimeric, Jerry.

8.

La lame comprime la chair rigide du cou. La peau du cou vieillit la première chez une femme ; tous les matins Pauline pince cette pomme cuite, s'agace plus ou moins tendrement de la voir brunir, faner, s'affaisser. La carnation de Gloria est plus fraîche, *était* plus fraîche, bien que les deux femmes aient eu à peu près le même âge, mais cette jeunesse encore si fière d'elle-même, la veille, est aujourd'hui raidie, quasi congelée. Allez savoir pourquoi c'est le cou qui prend de l'âge le premier. Les amants y flairent les parfums les plus suaves, encore ambrés du suc viscéral, mais allégés par l'attraction des yeux, du jour. Les nourrissons s'y nichent, préférant ces vallonnements aérés à la tiédeur sibylline des seins et des ventres. La tête lui impose son poids, verticale aberration juchée en équilibre surnaturel au sommet d'une tige qui s'obstine à défier la pesanteur ainsi que la souplesse horizontale des quadrupèdes. On ne sait pas combien il est fatiguant de tenir debout avec amants, bébés, et une tête qui doit penser à tout ! Cumul agréable parfois, glorieux si l'on veut, mais fatigant, très fatigant. Le cou s'en ressent, il assure, accuse. Le cou est l'organe le plus sournoisement , le plus monstrueusement féminin. À l'opposé du gros orteil qui, dans les deux sexes, accumule les souffrances du corps pesant et trahit les misères du caractère, le cou – chez les femmes seulement – ajoute aux usures masculines les indices d'un esprit lâche ainsi que ceux d'une vie sans issue. Et finit par révéler cette tendance perpétuelle à s'effondrer qu'on appelle stupidité – toute-puissance de l'inertie et du laisser-aller. Impossible à maquiller, il faudrait lifter, couper, recoudre. Ou simplement enlever, trancher.

La peau se fend nettement mais ne se rétracte pas comme aux lèvres d'une plaie vive, ne s'évase pas en berges déchiquetées retournées vers l'intérieur. La lame progresse, froide et propre, dans les muscles raides mais dociles, déprimés, inanimés du cadavre presque exsangue de Gloria. Après l'éclatement de la peau, l'acier incise le larynx, entaille les artères carotides, les veines jugulaires, de multiples vaisseaux. Le sang s'épanche à peine, imbibe les gants de Pauline, sans gicler sur l'ample T-shirt gris couvrant jusqu'à mi-cuisses le jean qu'elle aime porter à la campagne. Quelques éclaboussures, tout au plus. Discrètes. Il lui faudra quand même cacher tout ça sous un imper, par exemple, puis se changer, plus tard.

Pauline n'aime pas ses mains. Ses doigts courts, potelés, ses ongles qui s'effritent, ses mains de paysanne qui se souvient d'avoir eu des pattes de poule dans une autre vie. Elle les déteste. Des mains sensuelles cependant, mais qui se crevassent au contact des produits ménagers ou de la terre, se fendillent sous l'eau chaude, l'eau froide, gercent à cause du vent, du soleil. Des mains à cacher, des mains à protéger, mais on ne porte plus de gants maintenant, surtout en été, ni au printemps ou en automne, d'ailleurs. Tant pis, Pauline en porte, elle, à

Santa Barbara, s'il vous plaît, ce qui lui donne cet air de vieille demoiselle qu'elle n'est pas mécontente d'afficher, il faut bien se donner un genre dans la vie, pourquoi pas celui-ci, puisqu'il n'y a plus de vie sous le genre en question, puisque la vraie Pauline est morte noyée avec Aimeric, même si Jerry a greffé un nouveau germe sur le tronc mort.

Aucun problème avec les cervicales, le scalpel contourne l'os et glisse entre les cartilages, décolle, relève, pénètre, sectionne enfin le dernier lambeau de peau. Froidement, la tête livide et bouffie se détache. Pauline ne la voit pas, déchet à éliminer. L'azur du sac-poubelle dissimule l'organe séparé du tronc – « mon organe sexuel », « mon outil de travail », plaisantait Gloria, pauvre femme ! –, plutôt sinistre au fond, à broyer dans une benne à ordures. L'énergie acéphale de l'orthophoniste qui opère le cadavre vient de nous débarrasser de la mort, de sa mort.

Dans des actes aussi décisifs, on ne se pose aucune question, cela va sans dire. De toutes façons, personne ne peut l'inquiéter. Michael Fish a étranglé sa gourmande maîtresse et fichu le camp de bon matin avec la fausse *Femme à la collerette,* sans oublier quelques vrais Stanislas Novak. À l'heure qu'il est, Hester Bellini, affolée, promène ses cuillères en argent, ses boucles défaites et sa robe noire de service dans les hautes montagnes autour de son village. Brian Wat prend enfin un plaisir à sa portée avec la série Eisenstein. Et le *serial killer* est reparti avec son couteau depuis plusieurs heures déjà, déçu d'être tombé sur une beauté inanimée. Aucun témoin, silence de mort. Pauline reprend le volant. Ses cuisses se réchauffent, des gouttes de sueur poussiéreuses brouillent ses yeux. Pauline sent l'encombrement moite de l'autoroute, son sang qui bat de nouveau. Il faut jeter le sac-poubelle, changer de paire de gants ; quelle heure est-il ? 20 heures, déjà ! Les embouteillages du dimanche, elle n'y avait pas pensé, Jerry n'aura pas son dîner à temps, il va s'inquiéter, ils dîneront tard, tant pis, elle lui fera une omelette, il aura son *game gear*.

C'est facile de découper un corps de femme quand on est une femme. Ce n'est rien. On se connaît si bien ! Ça ne mérite ni douleur ni compassion. On sait par où passer, quel lambeau de peau décoller, dans quelle articulation s'enfoncer, quel cartilage briser. Quelle honte réveiller, quelle peine attiser, quelle susceptibilité piétiner, quelle jalousie gratter, quelle envie tarir, quel désir contrarier, quelle mort répéter – répéter inlassablement et empêcher de s'apaiser. On s'acharne sur soi, mais à distance ; on se protège, on survit tandis que l'autre trépasse, disparaît dans le néant qui l'a constituée de tout temps, de toute évidence. On renaît, on repart. Plus impersonnelle, plus sûre. « Je » est mort, vive personne ! Personne n'est cruel. Personne ne jubile. Ce qui vous paraît un carnage est tout simplement un acte chirurgical, neutre. La dépression agie neutralise la cruauté. La dépression agie est une sorte de pensée, un substitut de la pensée, tout aussi froide et efficace.

Une femme visiblement soulagée jette un sac en plastique bleu dans la poubelle d'une station-service. Il ne lui reste plus qu'à rapporter le *game gear* à son Jerry.

9.

À mon tour, je rends visite à Jerry. J'ai tellement envie de voir sa peinture, ses nouveaux Picasso, son nouvel ordinateur. Il m'invite, si, il insiste, mais oui, aucune ambiguïté, il sera ravi, le courant est passé entre nous.

Jerry utilisait un procédé informatique, à moins qu'il ne l'ait inventé lui-même, je n'ai pas saisi, qui lui permettait de reproduire sur écran le fameux faux Picasso qui avait causé le malheur de Michael Fish. Le jeune faussaire, doublé aujourd'hui d'un informaticien surdoué, reproduisait des quantités de *Femme à la collerette* en lumière cathodique, pouvait même les imprimer en autant d'exemplaires qu'il voulait, plus vraies que l'original. J'avais beau être résolument moderne, jouer les Rimbaud en lançant « L'art est une sottise ! » à la figure de ma collègue de *L'Événement littéraire* dans le vain espoir de calmer ses ardeurs poétiques, cette banalisation de Picasso n'était pas loin de me scandaliser. On fait tout sur ordinateur aujourd'hui, pourquoi pas la décollation de saint Jean en mosaïque sur les murs de Saint-Marc à Venise, ou *L'Homme qui marche* sans tête de Rodin – ou, tant qu'on y est, la décollation de Gloria elle-même ?

Plus d'art, plus de crime, nous sommes à l'ère de l'intelligence artificielle, l'ordinateur sait tout, peut tout, fait tout ; il invente, pense, projette, c'est lui le créateur, il n'y a plus de créateur, logique, non ? Je sais, pour l'instant on a besoin d'un intermédiaire, le programmeur, Jerry en personne, mais jusqu'à quand ? Jerry, rescapé de la mort de Gloria et des lèvres de Pauline, fausse *La Femme à la collerette* de Picasso, leur casse la figure à toutes – la femme, sa mère, l'orthophoniste –, posément, dans les règles du logiciel. Un démon logique.

Sur le seuil du bureau de Gloria, Pauline se tient droite et blanche dans sa robe grise. Le front bombé de statue compense le chignon cendré, tandis que la bouche seule mène une existence vivante, s'avance, menace de quitter l'écaille morte du visage. Intouchable. Non pas la dignité d'une conscience tranquille, mais cette limite où l'être parlant transite d'une absence de conscience à l'état de pierre. Éclate l'inévitable pression de l'utile. Pauline est irremplaçable. Elle le sait. Je comprends qu'elle le sait. Je n'y peux rien, ni à son savoir ni à ma compréhension. Ce qu'elle a fait, ce qu'elle aurait pu faire, ce que je crois qu'elle a fait, ce qu'elle a sûrement fait prolonge maintenant la vie au-delà de la mort. Sa vie à elle, bien entendu, car je suis sûre qu'elle est désormais libre, vidée de la haine auparavant entassée sous l'image de synthèse. Mais, plus encore, la vie de Jerry que je commence à aimer, moi aussi, on aura tout vu. Sur la passion de Gloria, l'indispensable orthophoniste plaque l'utilité d'un amour raisonné que la décollation a purgé de la dépression pourrissante, du moins c'est ce qu'il me semble, c'est ce que j'espère, et qui garantit la vie de l'espèce. Plus simplement, la vie de Jerry Novak. Son frère est son fils. C'est aussi limpide que cela. Vrai ou faux ? Là n'est pas la question, la question ne se pose pas, la vie continue, c'est la vie.

J'ai honte pour Pauline, comme il m'arrive souvent d'être gênée à la place de certaines personnes incapables de honte. Je ressens pour elles l'humiliation qu'elles ne peuvent ressentir, cette épaisseur humaine m'atteint comme une arrogance, un coup au cœur. Je ne sais quelle hormone chauffe mes veines qui se mettent à palpiter ; c'est ça, la répulsion me soulève le sang en lieu et place de l'estomac.

Pauline n'a pas quitté la pose sur le seuil du bureau de Gloria. Tandis qu'elle me parle j'observe ses yeux : insolence ou réserve ? une certaine douceur peut-être. Ce faisant, elle exhibe, comme si de rien n'était, ses inutiles gants noirs. Je finis par comprendre que Northrop Rilsky est au téléphone. M. Bob Harrison l'a informé que Mlle Delacour rendrait visite à Jerry, et M. le Commissaire a pris la liberté d'appeler pour savoir si Mademoiselle pouvait l'accompagner ce soir au concert. Pauline se fait docile, elle sait se tenir à sa place de membre du personnel, je me demande si elle se moque de moi ou si ce rôle fait déjà partie de sa seconde nature, dc sa nature d'étrangère.

De nouveau cette impression, subie très tôt, que tout est apparence, leurre, hallucination. Non qu'il y eût, audelà, une certitude commandant à l'inessentiel et finissant par le justifier. Au contraire, le furtif semblant qui nous entoure, qui nous constitue sans cesse, serait plutôt l'écume d'une germination menaçante mais, en définitive, sereine ; la retombée d'un souffle qui s'avance, ample, dérobé, à jamais retranché des apparentes éclaircies. Dire, faire, voyager, adhérer, écrire et ainsi de suite... On pourrait le faire – pourquoi pas ? –, je le faisais, parfois avec aisance, en tout cas sans trop de fatigue. Mais sans y croire non plus, pas vraiment, car cette plénitude secrète qui fait frémir les sens confère à toute chose qui n'y participe pas une insurmontable fadeur. Raison suffisante pour douter, interroger, disséquer. Ou carrément laisser tomber. Mais puisque je n'aime pas renoncer, j'analyse.

Je me dirige vers le téléphone, me réservant le plaisir de dévoiler au commissaire-violoniste les résultats de ma propre enquête. Plus tard, après le concert, peut-être. Je le laisserai d'abord s'égarer encore un peu, puisqu'il est tellement sûr de connaître la musique. À moins qu'il n'ait déjà deviné tout seul, d'où ses mines ambiguës, ce malaise. Mais non, il n'a certainement pas découvert la même chose que Stéphanie, impossible qu'il ait découvert la même chose. Connaît-il le monde secret d'une femme, ce cher commissaire ? D'un enfant qu'une femme fait naître, d'un enfant pas comme les autres qu'elle fait naître tous les jours, au jour le jour, sa vie durant ? Rien à voir avec l'Existence, l'Homme, les Hommes, le Social, tout leur subtil verbiage. Ça se sent ou ça ne se sent pas, c'est autre chose, un autre monde de l'autre côté du monde. Au mieux, et s'il s'était un tant soit peu approché de la vérité, lorsqu'il avait soumis ses conclusions pour le moins bancales au tribunal de Santa Barbara, Northrop n'avait pu agir que par goût de la mesure, par humanisme. En aucune façon sa discrétion n'avait pu découler d'une complicité avec la passion – celle de Pauline ou celle de Gloria. Folle vérité, sale tendresse qui me paralysent à présent devant les grands yeux de Jerry et les gants ridicules de l'ancienne étudiante en médecine.

Je me dirige toujours vers le téléphone. Je pense à Gloria, à sa solitude de traductrice, à la mienne, à la minable détestation qu'elle a suscitée tout au long de sa vie, à l'acharnement qui s'est abattu sur son corps mûr de statue de Phidias, si bêtement meurtrie par le destin qu'elle a réveillé l'universel désir d'une vraie décapitation. Mais pourquoi ?

Le charme, qui est aussi la belle image du désarroi, provoquait d'abord une sorte d'amour, d'attraction : « Je suis elle », pouvaient croire Hester, Pauline, tant d'autres... Pourtant, ma polyglotte semblait tombée de la lune. Son adhésion farouche à Jerry ou à Michael lui donnait un air tellement suffisant, presque heureux, qu'elle la retranchait du monde : « Elle n'est pas des nôtres, elle n'en est pas », se disaient les gens pour finir. Pour les Santa Barbarois qui se définissaient, comme tout un chacun, par le besoin d'« en être », cette duplicité qu'ils croyaient débusquer chez Gloria devait être insupportable. Dérangeante, sans protection aucune, la traductrice représentait un mirage excitant mais de pouvoir nul – la proie toute désignée. Un destin normal pour l'étrangère ? D'accord, mais cela ne suffit pas. Elle a dû commettre une erreur, des erreurs, lesquelles ? Qui pourrait le dire ? Consulter Larry Smirnoff ? Igor Zorine ? Déjà fait. Un vrai psychanalyste ? Une psychanalyste ? À Paris ? Mais qui ? Incapable de haine, ça doit être ça. Une traductrice qui, par définition, s'entraîne à aimer, avait dû être plutôt incapable de haïr. C'était là son défaut, j'imagine, j'en suis sûre : une tare irrémédiable, rare, un démon en négatif que cette absence de haine qui vous livre sans protection à tous les autres.

– Mademoiselle, le commissaire Rilsky vous attend au téléphone. (Pauline Gadeau avait croisé ses mains gantées et semblait sourire, intouchable. Elle prenait son petit air supérieur, son air de Camaret-sur-Mer, du temps d'Aimeric.)

Stéphanie Delacour se demanda enfin si elle ne devait pas commencer à détester cette innocente usurpatrice. Oui-oui, elle accompagnerait Rilsky au concert ce soir, c'était tellement gentil de sa part. Mozart ? Mais comment donc, on ne connaît jamais assez Mozart ! Les concertos pour violon, de surcroît ? J'adore ! Excellente occasion pour ne pas être obligée de parler, de se poser des questions, d'analyser les uns et les autres.

D'ailleurs, Stéphanie ne dirait rien à Rilsky. Une journaliste, une Parisienne, nous imaginer, plonger encore dans ce bourbier de Santa Barbara ? Tout compte fait, le commissaire ne s'était pas trompé ; simplement, il n'y avait rien à dire. Quelle chance d'entendre quand même un peu de musique dans cette vie, cette vie d'ici-bas ! La musique, en fin de compte...

Le monde de la musique que jamais Jerry ne connaîtrait, ou si peu. Peut-on aimer quelqu'un qui n'est pas de votre monde ? Ça paraît fou, mais il faut croire que ça existe. Elle embrassa les grands yeux de cet adolescent pas comme les autres. Une de ces pénibles boules faites de pardon, d'attendrissement mièvre, de détestable bonté lui noua la gorge. Et la journaliste se hâta de quitter la villa des Harrison, sans un mot.

L'évidence de la rue du Cherche-Midi allait bientôt la reprendre, mais Stéphanie savait qu'elles y vivraient désormais à deux : la journaliste-détective, et une virtuelle caresse pour cette lésion dans la voix de Jerry. Le démon de Pauline possédait déjà Mlle Delacour : c'est sous cet aspect indifférent, mais secrètement pathétique, qu'il s'apprêtait à descendre dans le paysage logique de Paris.

Table

I
Une décollation

II
Crime virtuel

III
La mort sans l'intention de la donner

Cet ouvrage a été composé par
Paris Photocomposition
36, avenue des Ternes, 75017 PARIS